KU-115-651
MILK
T=2√(2H/g)
Vₐ = V₀cosθ₀ / √(1+kV₀²(sinθ₀+cos²θ₀ ln tan(θ₀/2 + π/4)))
C ≫ 55
reduces to constant
H = V₀² sin²θ₀ / g(2+kV₀² sinθ₀)
6400.004
6400.003
6400.002
6400.001
86400
1972
???
1960
1970
1980
1990
2000
2010
K = ρₐCdS/2mg = 1/Vₜ² = constant
a = P/mV
v = √(2Pt/m)
a = √(P/2mt)
a = ∛(P²/3m²d)
d = 8Pt³/9m
d = mv³/3P
5.15 kg/L × 7.1 L =
39.2 kg
7.1×(3 + π/4)
log(x)
sin(θ) = cos(θ)

come si fa

Dello stesso autore presso Bompiani

Cosa accadrebbe se?

come si fa

consigli scientifici assurdi
per problemi comuni della vita quotidiana

RANDALL MUNROE

Traduzione di Daniele A. Gewurz

BOMPIANI

www.giunti.it
www.bompiani.it

Munroe, Randall, *How to? Absurd Scientific Advice for Common Real-Words Problems*

Via Bolognese 165, 50139 Firenze - Italia
Via G.B. Pirelli 30, 20124 Milano - Italia

Book design by Christina Gleason

ISBN 978-88-301-0285-9

Prima edizione: ottobre 2020

Finito di stampare nel mese di settembre 2020
Presso L.E.G.O. S.p.A.
Stabilimento di Lavis (TN)
Printed in Italy

Sommario

Disclaimer

Non provate a rifare davvero niente di tutto questo. L'autore di questo libro è un tizio che pubblica vignette su internet, non un esperto di salute o di sicurezza. Gli piace quando le cose prendono fuoco o esplodono: il vostro benessere non è in cima ai suoi interessi. L'editore e l'autore declinano ogni responsabilità per eventuali danni derivanti, direttamente o indirettamente, dalle informazioni contenute in questo libro.

Salve!

Questo è un libro pieno di cattive idee.

O, quanto meno, sono per la maggior parte cattive idee. È possibile che ce ne sia finita in mezzo anche qualcuna buona. Se è così, me ne scuso.

Alcune idee che suonano ridicole poi si rivelano rivoluzionarie. Spalmare muffa su una ferita infetta sembra un'idea tremenda, ma la scoperta della penicillina ha dimostrato che invece ne può venir fuori una cura miracolosa. D'altra parte, il mondo è pieno di roba disgustosa che, volendo, *potremmo* spalmare su una ferita, ma nella maggior parte dei casi non la farà migliorare. Non tutte le idee ridicole sono buone. E allora come si fa a distinguere le idee buone da quelle cattive?

Possiamo metterle in pratica e vedere cosa succede. A volte, però, possiamo usare la matematica, la ricerca e le cose che già sappiamo per capire che cosa accadrebbe.

Quando la NASA stava progettando l'invio su Marte del rover *Curiosity*, grande come un'automobile, serviva un modo per farlo atterrare delicatamente sulla superficie. Visto che nei casi precedenti avevano usato paracadute e airbag, gli ingegneri della NASA avevano pensato di farlo anche con *Curiosity*, ma il rover era troppo grande e pesante perché bastasse qualche paracadute per rallentarlo a sufficienza nell'esile atmosfera di Marte. Presero in considerazione anche di montarci dei razzi per arrivare dolcemente al suolo, ma i gas di scarico avrebbero creato nuvole di polvere oscurando la superficie e rendendo difficile un atterraggio sicuro.

Alla fine, hanno avuto l'idea di una sorta di gru volante, un veicolo che si sarebbe tenuto al di sopra della superficie usando razzi mentre calava al suolo *Curiosity* con un lungo cavo. Sembrava un'idea ridicola, ma qualsiasi altra cosa escogitassero era peggiore. Più rimiravano l'idea della gru volante e più la trovavano plausibile. Così ci hanno provato e ha funzionato.

Tutti noi, all'inizio della vita, non sappiamo come fare le cose. Se siamo fortunati, quando dobbiamo fare qualcosa, troviamo qualcuno che ci fa vedere come si fa, ma a volte dobbiamo trovare da soli il modo. Dobbiamo cioè farci venire delle idee e poi decidere se sono buone o no.

Questo libro esplora approcci insoliti a problemi comuni e cerca di capire che cosa succederebbe se li provassimo. Pensare perché possano funzionare o no può essere divertente e istruttivo e a volte portarci in luoghi imprevisti. Magari una certa idea è pessima, ma capire esattamente *perché* lo sia ci insegna molto e ci può aiutare a trovare un approccio migliore.

E anche quando sapete già il modo giusto per fare tutte queste cose, può essere utile provare a guardare il mondo attraverso gli occhi di qualcuno che non lo sa. Dopotutto, per ogni cosa che "sanno tutti" quando sono adulti, ogni giorno nei soli Stati Uniti ci sono oltre 10.000 persone che la stanno imparando per la prima volta.

Ecco perché non mi piace prendere in giro chi ammette di non sapere una certa cosa o di non aver mai imparato a fare qualcosa. Se li si prende in giro, si ottiene solo che la prossima volta non diranno di aver appreso qualcosa... e ci perderemmo tutto il divertimento.

Magari questo libro non vi insegnerà a lanciare una palla, a sciare o a traslocare. Ma spero che ne apprendiate qualcosa. Se sì, sarete uno dei 10.000 fortunati di oggi.

come si fa

CAPITOLO 1

Come saltare in alto, ma proprio in alto

Noi esseri umani non sappiamo saltare molto in alto.

I giocatori di basket spiccano salti notevoli per raggiungere il canestro, ma in buona parte li aiuta la statura. Un cestista professionista medio è in grado di saltare poco più di una sessantina di centimetri, mentre i non atleti arriveranno circa alla metà. Se vogliamo saltare più in alto di così, dobbiamo trovare un modo.

Prendere la rincorsa è un buon inizio: è proprio quello che fanno gli atleti nelle gare di salto in alto. Il primato mondiale è di 2,45 m, che però sono misurati da terra. Poiché i saltatori tendono a essere alti, il loro centro di massa parte già da una certa quota e, per via di come inarcano il corpo per superare l'asticella, può succedere addirittura che il centro di massa passi *sotto*. In un salto di quasi due metri e mezzo non è certo il centro del corpo a sollevarsi di due metri e mezzo.

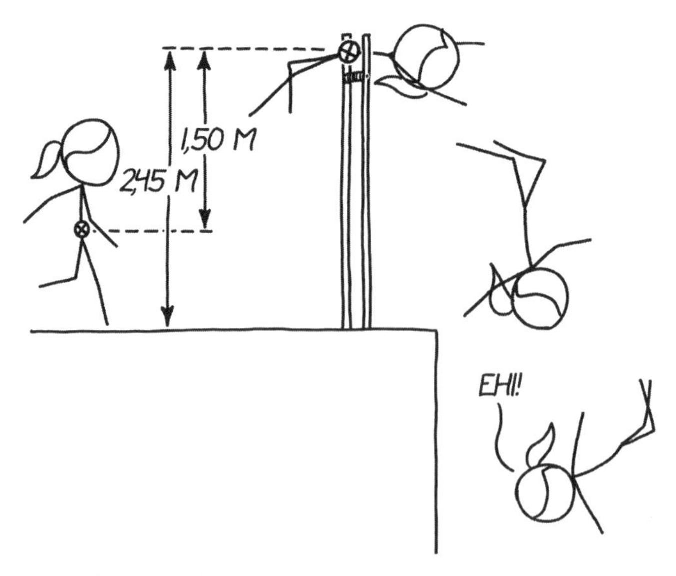

Se volete battere un saltatore in alto, avete due opzioni:

1. Dedicare la vita all'allenamento sin dalla più tenera età, fino a diventare il miglior saltatore in alto del mondo.
2. Barare.

La prima opzione è senza dubbio ammirevole, ma se è quella verso cui siete orientati state leggendo il libro sbagliato. Parliamo della seconda opzione.

Ci sono molti modi per barare nel salto in alto. Possiamo usare una scala a pioli per superare l'asticella, ma allora non è più un salto. Potremmo provare con quei trampoli a molla[1] che piacciono agli appassionati di sport estremi e che – se siete sufficientemente agili – forse basterebbero a darvi un vantaggio su un normale saltatore in alto. Ma, se parliamo semplicemente di altezza verticale, gli atleti hanno già messo a punto una tecnica migliore: il salto con l'asta.

1 O, per i ragazzini americani di qualche tempo fa, i Nickelodeon® Moon Shoes®™.

Nel salto con l'asta gli atleti iniziano a correre, piantano a terra di fronte a sé una pertica flessibile e si lanciano in aria. Così facendo riescono ad arrivare varie volte più in alto dei migliori saltatori privi di attrezzatura.

La fisica di questo sport è interessante e l'asta stessa ha meno importanza di quanto si possa pensare. L'aspetto fondamentale per il salto non è l'elasticità dell'asta, ma la velocità a cui corre l'atleta. L'asta è solo un modo efficiente per reindirizzare la velocità verso l'alto. In teoria il saltatore potrebbe usare qualche altro metodo per cambiare direzione da "in avanti" a "in alto". Anziché piantare un bastone nel terreno, potrebbe saltare su uno skateboard e salire su per una rampa curva liscia, e raggiungerebbe quasi esattamente la stessa altezza.

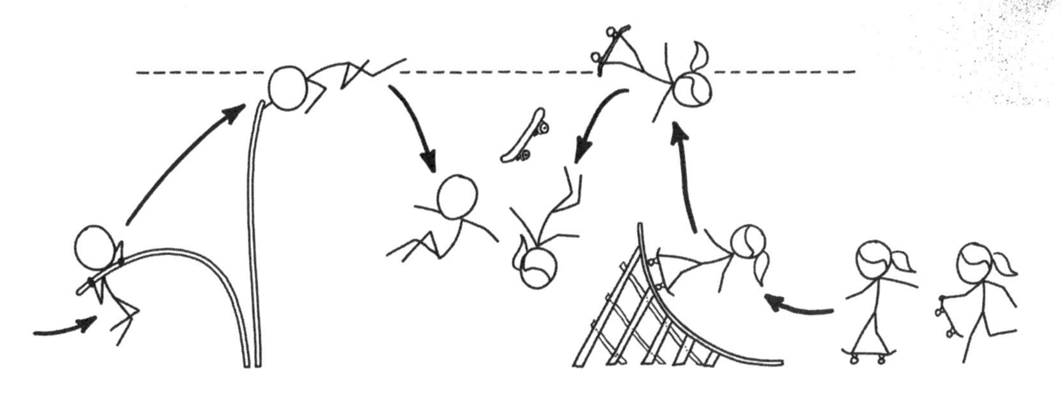

Con un semplice ragionamento fisico possiamo stimare l'altezza massima a cui può arrivare un saltatore con l'asta. Un bravo velocista può correre i 100 m in 10 secondi. Se lanciamo un oggetto verso l'alto a questa velocità nel campo gravitazionale terrestre, un piccolo calcolo ci dice a che altezza dovrebbe arrivare:

$$\text{altezza} = \frac{\text{velocità}^2}{2 \times \text{accelerazione di gravità}} = \frac{\left(\frac{100\text{ m}}{10\text{ secondi}}\right)^2}{2 \times 9{,}805\,\frac{\text{m}}{\text{s}^2}} \approx 5{,}10\text{ m}$$

Dato che il saltatore con l'asta corre prima del salto, il suo centro di massa inizia già sollevato dal suolo, il che si somma all'altezza finale che raggiunge. Il centro di massa di un normale adulto si trova in qualche punto dell'addome, di solito a un'altezza pari a circa il 55% della sua statura. Renaud Lavillenie, detentore del primato mondiale nel salto con l'asta maschile, è alto 1,77 m e quindi il suo centro di massa aggiunge circa altri 0,97 m, arrivando a un'altezza finale prevista di 6,08 m.

Quanto si avvicina la nostra previsione alla realtà? Be', l'attuale record mondiale è di 6,16 m.[2]

Non male per una rapida approssimazione![3]

Ovviamente se vi presentate a una competizione di salto in alto con un'asta, vi squalificano immediatamente.[4] D'altronde, anche se i giudici di gara avessero da ridire, vi lasceranno fare, specialmente se vi avvicinerete brandendo l'asta in modo minaccioso.

---

2 Nel frattempo, a febbraio del 2020, il record è stato migliorato di 2 cm dallo svedese Armand Duplantis, che è alto 1,81 m. (*N.d.T.*)

3 La fisica offre un'altra interessante curiosità sui primati mondiali di salto con l'asta. L'attrazione verso il basso data dalla gravità terrestre varia da un punto all'altro, sia perché è influenzata dalla forma della Terra sia perché il movimento rotatorio crea una "forza" verso l'esterno. Questi effetti sono minuscoli rispetto ai massimi sistemi, ma la variazione da un luogo all'altro può arrivare allo 0,7%. È così lieve che non la notiamo camminando per strada, ma è sufficiente per far sì che quando compriamo una bilancia possa essere necessario calibrarla, perché la gravità nella fabbrica potrebbe essere leggermente diversa dalla gravità a casa nostra.
Il diverso valore della gravità è sufficiente per influire sui record del salto con l'asta. Nel giugno 2004 Elena Isinbaeva stabilì il record mondiale femminile di salto con l'asta con un'altezza di 4,87 m a Gateshead, in Inghilterra. Una settimana dopo Svetlana Feofanova batté il record di 1 cm, saltando 4,88 m. Feofanova stabilì però questo primato a Heraklion, in Grecia, dove l'attrazione della gravità è leggermente più debole. La differenza è sufficiente al punto che, se le interessasse, Isinbaeva potrebbe sostenere che il suo record era stato battuto solo a causa della gravità più debole e che il salto di Gateshead era più significativo.
A quanto pare, però, decise di non lanciarsi in questa complicata discussione fisica e di rispondere in modo più semplice: poche settimane dopo superò il record di Feofanova, di nuovo nella più intensa gravità britannica. Al momento in cui scrivo continua a detenere il primato femminile.

4 O almeno credo. Forse non ci ha mai provato nessuno.

Il vostro record non verrà omologato, ma va bene così: dentro di voi saprete di aver saltato molto in alto.

Se però siete disposti a barare in modo più clamoroso, potrete andare oltre i 6 m, e di *molto*. Basta trovare il posto giusto da cui partire.

I corridori sfruttano l'aerodinamica: indossano capi lisci e attillati per ridurre la resistenza dell'aria, il che li aiuta a raggiungere velocità maggiori e quindi ad arrivare più in alto.[5] Perché non fare un passo ulteriore?

D'accordo, darsi la spinta con un'elica o un razzo non conta: non riusciremmo a definirlo "salto" senza scoppiare a ridere.[6] Non è un salto, è un *volo*. D'altra parte non c'è niente di male nel... planare un pochino.

Il percorso di un oggetto che cade è influenzato dal modo in cui gli si muove attorno l'aria. I saltatori con gli sci si mettono nella posizione migliore per guadagnare in aerodinamicità e arrivare più lontano. In una zona con i venti giusti potete fare lo stesso anche voi.

---

5 Al momento in cui scrivo non esiste un primato mondiale per il salto in alto di un atleta che indossi una gonna a cerchi vittoriana, ma se ci fosse ipotizzo che sarebbe inferiore al record normale.

6 Va bene barare, ma non proprio *barare*.

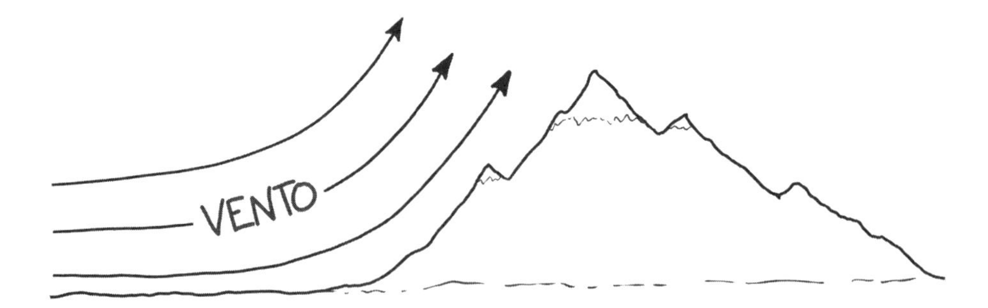

Quando i velocisti corrono con il vento alle spalle raggiungono velocità più elevate. Allo stesso modo, se saltate in un'area in cui il vento soffia verso *l'alto*, potrete raggiungere altezze maggiori.

Serve un vento molto forte per ottenere una spinta verso l'alto: deve superare la nostra *velocità terminale*. È la massima velocità che raggiungiamo cadendo, quando la forza esercitata dall'aria che ci viene incontro controbilancia l'attrazione verso il basso della gravità. Sarà quindi questa la minima velocità verso l'alto che deve avere il vento per poterci sollevare da terra. Poiché tutti i movimenti sono relativi, non cambia niente se siamo noi a cadere verso il basso attraverso l'aria o se è l'aria a soffiare verso l'alto passandoci accanto.[7]

Le persone sono molto più dense dell'aria e quindi la nostra velocità terminale è piuttosto alta. La velocità terminale di un essere umano che cade è di circa 200 km/h. Per ottenere una spinta significativa dal vento, dovrà soffiare con una velocità verso l'alto che abbia un valore abbastanza vicino; se è molto più lento, non avrà una grande influenza sull'altezza del vostro salto.

Gli uccelli usano colonne di aria calda che sale, chiamate ascendenze termiche, a mo' di ascensori. Si librano in cerchio senza battere le ali, lasciando che sia l'aria che sale a tenerli in alto. Queste correnti termiche sono relativamente deboli; per sollevare un corpo umano, ben più grande, ci servirà qualcosa che faccia salire l'aria con un'energia maggiore.

Alcune delle correnti d'aria più intense in prossimità del suolo si formano vicino alle catene montuose. Quando il vento incontra una montagna o una catena, il flusso d'aria può essere deviato verso l'alto; in alcune zone questi venti raggiungono velocità molto elevate.

Purtroppo, anche nei punti in cui sono più forti, i venti verticali non arrivano nemmeno vicini alla velocità terminale di un essere umano; nel migliore dei casi guadagnerete solo un minimo di altezza.[8]

Invece di cercare di aumentare la velocità del vento, potete provare a ridurre la vostra velocità terminale usando indumenti aerodinamici. Una buona tuta alare – un indumento dotato di uno strato di tessuto tra le braccia e le gambe – può ridurre la velocità di caduta di una persona da 200 km/h a un minimo di circa 50 km/h. Non è ancora abbastanza per cavalcare veramente un vento verso l'alto,

---

7 Almeno, dal punto di vista della fisica. Probabilmente per noi personalmente cambia molto.

8 E dovreste convincere i giudici di gara a far disputare la competizione vicino al bordo di un dirupo, il che potrebbe essere difficile.

ma *aggiungerebbe* un bel po' di altezza al vostro salto. D'altra parte, dovreste tenere addosso la tuta durante la rincorsa, il che probabilmente annullerebbe i benefici del vento.

Per aggiungere un'altezza significativa al salto, dovrete andare al di là delle tute alari per sconfinare nel mondo dei paracadute e dei parapendio. Questi grandi arnesi riducono la velocità di caduta di una persona al punto che i venti di superficie possono riuscire facilmente a sollevarla. Esperti piloti di parapendio sono in grado di lanciarsi da terra e di cavalcare venti ascendenti e correnti termiche fino a raggiungere centinaia di metri di quota.

Ma se volete un *vero* record di salto in alto, potete fare pure di meglio.

Nella maggior parte delle zone in cui l'aria scorre sopra le montagne, queste "onde orografiche" si estendono solo fino alla parte inferiore dell'atmosfera, il che pone un limite all'altezza che possono raggiungere gli alianti. In alcuni punti, però, quando le condizioni sono quelle giuste, queste perturbazioni possono interagire con il vortice polare e la corrente a getto della notte polare,[9] dando luogo a onde che raggiungono la stratosfera.

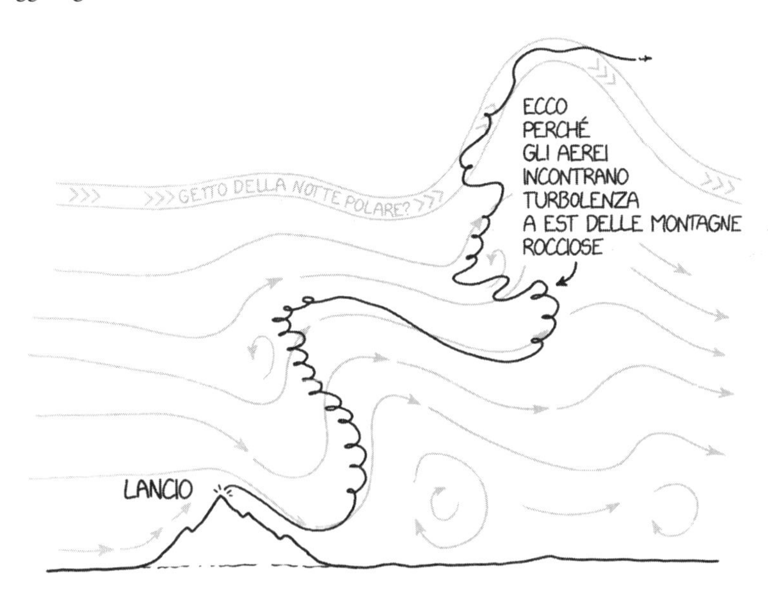

Nel 2006 i piloti di aliante Steve Fossett ed Einar Enevoldson cavalcarono onde orografiche stratosferiche fino a oltre 15.000 m sul livello del mare. È quasi il doppio dell'altezza dell'Everest, più delle massime quote dei voli di linea. Quel volo stabilì un nuovo primato di altitudine per gli alianti. Fossett ed Enevoldson affermano che sarebbero potuti arrivare ancor più in alto sulle onde stratosferiche; tornarono indietro solo perché la bassa pressione atmosferica aveva fatto gonfiare le tute al punto da non riuscire più a manovrare i comandi.

9 La corrente a getto della notte polare (*polar night jet*) è un vento ad alta quota che soffia in prossimità dell'Artide e dell'Antartide in certi periodi dell'anno. Da non confondere con *The Polar Night Jet*, un tenero libro illustrato per l'infanzia, su un bambino che una notte va a trovare Babbo Natale volando al Polo Nord su un bombardiere stealth magico.

Se volete saltare molto in alto, vi dovete solo costruire un abito a forma di aliante – ve lo potete fare di vetroresina e fibra di carbonio – e partire per le montagne dell'Argentina.

Se trovate il posto giusto e se le condizioni sono quelle *precisamente* adatte, potete sigillarvi nella tuta-aliante,[10] lanciarvi, prendere l'onda orografica e cavalcare il vento fin nella stratosfera. Un pilota di aliante portato da queste onde può forse riuscire ad arrivare a quote più elevate rispetto a qualsiasi altro velivolo ad ala. Niente male per un singolo salto![11]

Se siete davvero fortunati, magari riuscite a trovare un posto che sia sopravento rispetto a dove si svolgono le Olimpiadi. Così, quando vi lancerete, i venti della stratosfera vi porteranno sopra la sede dei giochi...

---

10 Dovrete pressurizzarvi tutt'attorno la cabina dell'aliante, ma che ci vorrà mai? È sufficiente rendere ermetico il guscio di vetroresina, aggiungendo un tubicino per respirare. Quando vi sollevate di qualche chilometro e la pressione atmosferica comincia a scendere sul serio, basta pizzicare il tubo per sigillare il tutto. Può darsi che ci rimaniate un certo tempo, quindi cercate di fare una cabina grande a sufficienza per non restare senza aria.

11 Abbiamo dimenticato gli sportelli: quando atterrerete dovrete chiamare un amico che apra l'aliante a martellate.

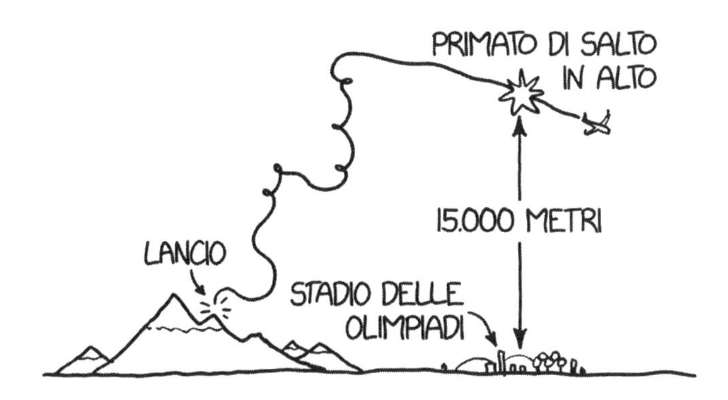

... permettendovi di stabilire il miglior primato di salto in alto nella storia di questo sport.

Probabilmente non vi daranno una medaglia, ma poco male. Saprete di essere voi, i campioni.

CAPITOLO 2

Come organizzare una festa in piscina

Avete deciso di organizzare una festa in piscina. Avete tutto: snack, bibite, galleggianti da gonfiare, asciugamani e quei cerchietti che si buttano in acqua per poi tuffarsi a recuperarli. Ma la sera prima della festa, vi assilla la sensazione che vi sfugga qualcosa. Guardandovi intorno e scrutando il giardino, capite di cosa si tratta.

Non avete una piscina.

Niente panico. È un problema che si risolve. Vi serve solo un po' d'acqua e un contenitore in cui metterla. Vediamo prima il contenitore.

Ci sono due tipi principali di piscine: *interrate* e *fuori terra*.

PISCINA INTERRATA

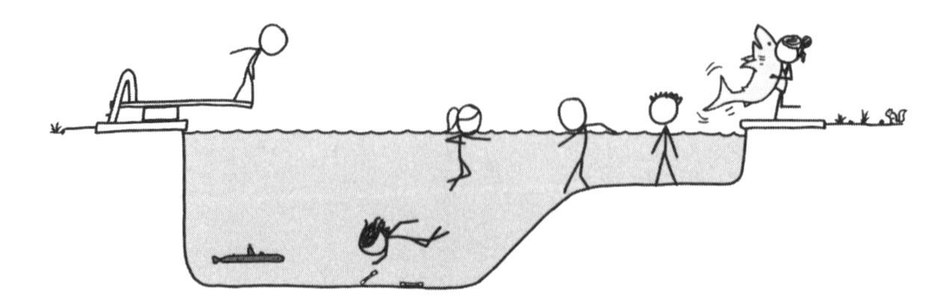

Una piscina interrata è, venendo al sodo, un buco con una forma insolita. Questo tipo di piscina potrà richiedere più lavoro per l'installazione, ma è anche meno probabile che collassi nel bel mezzo della festa.

Se volete costruire una piscina interrata, consultate dapprima il capitolo 3: "Come scavare una buca". Seguite le istruzioni per scavare una buca di circa 6 × 9 × 1,5 m. Una volta che avrete lo spazio delle dimensioni necessarie, può essere il caso di rivestirne le pareti con qualche sostanza che impedisca all'acqua di trasformarsi in fango o di finire nel terreno prima della conclusione della festa. Se avete sottomano dei fogli di plastica giganti o dei teloni, li potete usare, oppure provate con un rivestimento in gomma spray: ci sono quelli pensati per impermeabilizzare i letti degli stagni delle carpe koi. Basta che diciate al negoziante che avete delle carpe belle grosse.

ALTERNATIVA: PISCINA FUORI TERRA

Se decidete che una piscina interrata non fa per voi, potete provare con una fuori terra. L'idea di questo tipo di piscina è relativamente semplice:

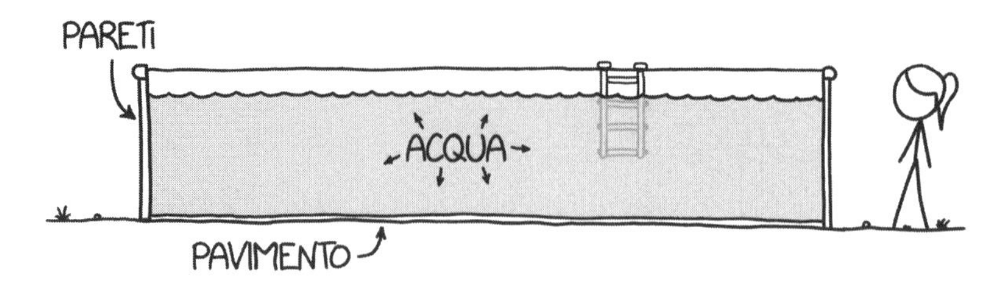

Purtroppo l'acqua è pesante: provate a chiedere a qualcuno che ha riempito un acquario sul pavimento e poi ha cercato di sollevarlo su un tavolo. La gravità tira l'acqua verso il basso, ma il terreno contrasta la spinta con la stessa forza. La pressione dell'acqua viene reindirizzata verso l'esterno, contro le pareti della piscina, che si tendono in tutte le direzioni. Questa forza, chiamata *tensione tangenziale*, è più forte alla base della parete, dove la pressione dell'acqua è massima. Se la tensione tangenziale supera la resistenza alla trazione della parete, la parete esplode.[1]

Scegliamo un possibile materiale, per esempio il foglio di alluminio. Quanto può essere profonda l'acqua in una piscina con le pareti di foglio di alluminio prima che i lati esplodano? Possiamo rispondere a questa domanda e a molte altre sulla progettazione delle piscine usando la formula per la tensione tangenziale:

$$\text{tensione tangenziale} = \text{profondità acqua} \times \text{densità acqua} \times \text{gravità terrestre} \times \frac{\text{raggio della piscina}}{\text{spessore della parete}}$$

1 All'atto pratico probabilmente esplode ben prima, per via delle irregolarità nei materiali e delle loro specifiche "curve di cedimento", ma possiamo usare la semplice resistenza alla trazione per un calcolo approssimativo.

Inseriamo i numeri relativi al foglio di alluminio. L'alluminio ha una resistenza alla trazione di circa 300 megapascal e i fogli di alluminio hanno uno spessore di circa 0,02 mm. Supponiamo che la nostra piscina abbia un diametro di 9 m, per avere tutto lo spazio che vogliamo per giocare. Inseriamo questi valori nell'equazione e riordiniamo i termini in modo da capire quanto possa essere profonda l'acqua nella nostra piscina lucida e increspata prima che la tensione tangenziale sia uguale alla resistenza alla trazione dell'alluminio e le pareti cedano:

$$\text{profondità acqua} = \frac{\text{spessore parete} \times \text{resistenza alla trazione della parete}}{\text{densità acqua} \times \text{gravità} \times \text{raggio della piscina}}$$

$$= \frac{0{,}02\ \text{mm} \times 300\ \text{MPa}}{1\frac{\text{kg}}{\text{l}} \times 9{,}8\frac{\text{m}}{\text{s}^2} \times \frac{9}{2}\ \text{m}} \approx 13\ \text{cm}$$

Purtroppo, 13 cm di acqua probabilmente non bastano per una festa in piscina.

Se sostituiamo il sottile foglio di alluminio con tavole di legno spesse oltre 2 cm, i conti vanno meglio. Il legno ha una resistenza alla trazione minore del foglio di alluminio, ma compensa con lo spessore maggiore e può trattenere più di 20 m di profondità d'acqua. Se vi ritrovate con un cilindro di legno largo 9 m e con le pareti spesse 2 cm abbondanti, siete a cavallo!

Potete anche riorganizzare l'equazione per trovare quanto debbano essere spesse le pareti della piscina per trattenere acqua di una profondità desiderata. Per esempio, se vogliamo che la nostra piscina sia profonda circa un metro, data la resistenza alla trazione di un materiale, questa versione della formula ci dice lo spessore minimo della parete necessario per trattenere l'acqua:

$$\text{spessore parete} = \frac{\text{profondità acqua} \times \text{densità acqua} \times \text{gravità} \times \text{raggio della piscina}}{\text{resistenza alla trazione della parete}}$$

La cosa grandiosa della fisica è che si possono fare questi calcoli per qualsiasi materiale ci piaccia, anche se è del tutto ridicolo. Alla fisica non importa se facciamo domande strane; dà solo la risposta, senza giudicare. Per esempio, secondo l'esauriente manuale di 456 pagine *Cheese Rheology and Texture*, il groviera ha una resistenza alla trazione di 70 kPa. Inseriamolo nella formula!

$$\text{spessore parete} = \frac{1\,\text{m} \times 1\,\frac{\text{kg}}{\text{l}} \times 9{,}8\,\frac{\text{m}}{\text{s}^2} \times \frac{9\text{m}}{2}}{70\ \text{kPa}} \approx 63\ \text{cm}$$

Ottimo! Vi basta un muro di formaggio spesso 60 cm per contenere la piscina! La brutta notizia è che forse avrete difficoltà a convincere la gente a saltarci dentro.

Dati i problemi pratici associati al formaggio, probabilmente sarà meglio attenersi a materiali tradizionali come la plastica e la vetroresina. Quest'ultima ha una resistenza alla trazione di circa 150 MPa, il che significa che una parete spessa appena un millimetro sarebbe abbastanza resistente da contenere tutta l'acqua che vogliamo, e pure con un ampio margine.

PROCURARSI L'ACQUA

Ora che avete la piscina, che sia interrata o fuori terra, avrete bisogno di un po' d'acqua. Ma quanta?

Di piscine interrate da giardino ce ne sono di varie dimensioni, ma una media, abbastanza grande da avere un trampolino, può contenere 75.000 litri d'acqua.

Se avete un tubo da giardino e siete collegati all'acquedotto, in teoria potete riempire la piscina così, ma se sia un modo *veloce*, dipende dalla portata del tubo.

Se si dispone di una buona pressione dell'acqua e di un tubo di grande diametro, la portata può essere di alcune decine di litri al minuto, il che è sufficiente per riempire la piscina in circa un giorno. Se la portata è troppo bassa o se prendete acqua da un pozzo, che potrebbe esaurirsi prima di riempire la piscina, sarà necessario cercare una soluzione diversa.

ACQUA VIA INTERNET

In molte aree i rivenditori online come Amazon offrono la consegna nello stesso giorno. Una confezione da 24 bottiglie di acqua di marca Fiji costa attualmente circa 25 dollari. Se avete 150.000 dollari che vi avanzano, più circa altri 100.000 per la consegna in giornata, potete ordinare una piscina sana di acqua in bottiglia. C'è il vantaggio aggiuntivo che sarà tutta acqua spedita dall'arcipelago Fiji.

Qui c'è un nuovo problema. Una volta che vi avranno consegnato l'acqua, dovrete farla arrivare nella piscina.

Sarà più complicato di quanto potreste pensare. Certo, è possibile svitare il tappo di ogni bottiglia e svuotarle nella piscina una a una, ma ci vorrebbe qualche secondo per bottiglia. Dato che ci sono 150.000 bottiglie e solo 86.400 secondi in un giorno, qualunque metodo che richieda più di un secondo a bottiglia non andrà bene.

ALL'ATTACCO DELLE BOTTIGLIE

Potreste provare a tagliare i tappi di un'intera confezione da 24 bottiglie con una spada. In rete si trovano molti filmati al rallentatore di persone che colpiscono una fila di bottiglie d'acqua con una spada, ma a giudicare dai video, è sorprendentemente difficile: la spada tende a deviare in su o in giù mentre passa attraverso le bottiglie. Anche se sferraste fendenti abbastanza precisi, aveste la forza necessaria nelle braccia e resisteste abbastanza a lungo, probabilmente usare una spada risulterebbe troppo lento.

Anche con le armi da fuoco non andrebbe molto meglio. Organizzandosi per bene e disponendo tutto al meglio, potreste usare un fucile da caccia per fare buchi in un'intera cassa di bottiglie contemporaneamente, ma comunque non è detto che si riesca a perforarle tutte e a svuotarle a velocità sufficiente. Inoltre alla fine avrete riempito di piombo la piscina, che – specialmente se aggiungete cloro all'acqua – si corroderebbe e rischierebbe di contaminare le acque sotterranee.

Esistono varie armi, sempre più potenti, che potreste usare per cercare di aprire rapidamente le bottiglie, ma non le prederemo in esame tutte. Prima di abbandonare le armi e passare a una soluzione più pratica, prendiamoci però un momento per considerare l'opzione più potente e più impraticabile di tutte. È possibile aprire le bottiglie usando ordigni nucleari?

È un'idea del tutto insensata, e quindi non vi sorprenderà che sia stata studiata dal governo degli Stati Uniti durante la Guerra fredda. All'inizio del 1955 la Federal Civil Defense Administration acquistò birra, bibite e acqua gassata da negozi al dettaglio e ci svolse test di armi nucleari.[2]

Ora, non erano interessati ad *aprire* le bottiglie. L'obiettivo del test era vedere quanto sopravvivevano i contenitori e se il contenuto rimaneva contaminato. I responsabili della protezione civile avevano previsto che, dopo un'esplosione nucleare in una città degli Stati Uniti, i primi soccorritori avrebbero avuto bisogno di acqua potabile; volevano quindi sapere se le bevande commerciali potessero essere una fonte sicura di idratazione.[3]

La saga della guerra nucleare dichiarata dalle autorità alla birra è descritta in un rapporto di 17 pagine intitolato *The Effect of Nuclear Explosions on Commercially Packaged Beverages*, una copia del quale è stata meritoriamente riesumata dallo storico dell'era nucleare Alex Wellerstein.

Il rapporto descrive come vennero disposte le bottiglie e le lattine in varie posizioni nel sito del test in Nevada per ogni esplosione. Alcune erano nei frigoriferi, altre sugli scaffali e altre ancora

2 Sulle bevande, non sui negozi.

3 Si concentrarono in particolare sulla birra, che non sembra esattamente il massimo in uno scenario di sopravvivenza postattacco nucleare: viene da chiedersi se l'intero programma non fosse stato organizzato in fretta e furia come copertura dopo che qualcuno era stato sorpreso a inserire bevande alcoliche tra le spese d'ufficio.

semplicemente per terra.[4] Svolsero l'esperimento due volte, durante due diversi test nucleari condotti nell'ambito dell'Operazione Teiera.

Le bevande se la cavarono sorprendentemente bene. La maggior parte sopravvisse intatta all'esplosione. Quelle che andarono distrutte erano state per lo più forate da detriti volanti o erano esplose una volta cadute dagli scaffali. Avevano bassi livelli di contaminazione radioattiva e non avevano neppure perso il sapore.

Campioni di birra postesplosione furono inviati presso "cinque laboratori qualificati"[5] perché svolgessero "test attentamente controllati". Il risultato unanime fu che la birra aveva in genere un buon sapore. Si giunse alla conclusione che la birra recuperata dopo un'esplosione nucleare si poteva considerare una fonte sicura di idratazione d'emergenza, ma che probabilmente andava esaminata più attentamente prima di rimetterla in commercio.

Le bottiglie di plastica non erano comuni negli anni cinquanta e quindi tutti i test usavano recipienti di vetro e metallo. In ogni caso i test fanno pensare che le armi nucleari non siano poi un granché come apribottiglie.

TRITURATORI INDUSTRIALI

Fortunatamente per noi, esiste un tipo di dispositivo che fa quello che ci serve in modo molto più rapido di una spada, un fucile o un'arma nucleare: un trituratore di plastica industriale. I trituratori vengono usati nei centri di riciclaggio per sminuzzare grandi volumi di bottiglie di plastica e, come bonus, possono estrarne i liquidi.

4 Dandoci un esempio di eccessiva attenzione ai dettagli che rasenta la bizzarria, le bottiglie a terra erano posizionate a varie angolazioni accuratamente misurate rispetto al punto zero: alcune orizzontali con il tappo o il fondo rivolti verso il punto zero, altre a un angolo di 45° e alcune in piedi. Forse volevano vedere in che modo avremmo dovuto conservare le bottiglie in relazione al centro della città per massimizzare la loro possibilità di sopravvivere a un attacco nucleare.

5 Spero che sia un eufemismo per "nostri amici".

Un trituratore come il Brentwood AZ15WL da 15 chilowatt è in grado di gestire 30 tonnellate di materiale all'ora, tra plastica e liquidi, secondo la documentazione della Brentwood. Ciò consentirebbe di riempire la piscina in poco più di 2 ore.

I trituratori industriali hanno prezzi a cinque o sei cifre, che è molto per una festa (anche se non è nulla rispetto a quello che avete già speso per le bottiglie d'acqua). Ma forse, se fate un accenno a tutte le armi nucleari che possedete, si convinceranno a farvi uno sconto.

FAR FARE IL LAVORO A QUALCUN ALTRO

Se nelle vicinanze qualcun altro ha una piscina e si trova a un'altitudine leggermente superiore, gli potete rubare l'acqua usando un sifone. Se riuscite a collegare le due piscine con un tubo per l'acqua, potete far scorrere l'acqua dalla sua piscina alla vostra.

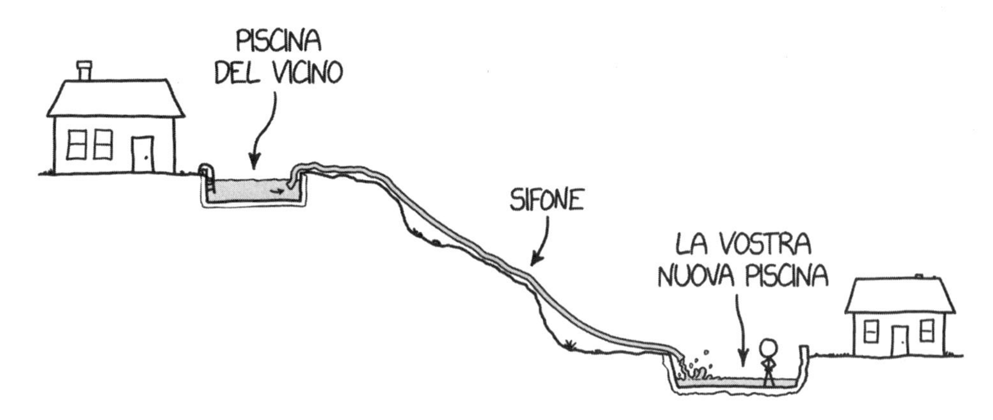

Nota: I sifoni possono sollevare l'acqua da una piscina e farle superare piccole barriere, come le recinzioni, ma se in qualche punto il sifone si trova più di 9 m sopra la superficie della piscina del vicino, l'acqua non scorre. I sifoni funzionano grazie alla pressione atmosferica, che sulla Terra è in grado di spingere l'acqua solo di 9 m contro la gravità.

PROCURARSI ACQUA SINTETIZZANDOLA

L'acqua è composta da idrogeno e ossigeno. Nell'atmosfera c'è un sacco di ossigeno[6] e l'idrogeno, pur essendo sicuramente più raro, non è troppo difficile da trovare.

La buona notizia è che, se uniamo idrogeno e ossigeno, è facile trasformarli in acqua. Basta applicare un po' di calore e la reazione chimica continua a procedere. Anzi, semmai è difficile farla smettere.

La cattiva notizia è che a volte la reazione chimica inizia da sola. Un tempo per il cielo giravano grandi dirigibili pieni di idrogeno, ma dopo alcuni drammatici incidenti negli anni trenta abbiamo iniziato a riempirli di elio. Oggi, se uno vuole dell'idrogeno, il posto migliore per ottenerlo è la raccolta e il ritrattamento dei sottoprodotti dell'estrazione di combustibili fossili.

6 Al momento in cui scriviamo, nel 2019.

RICAVARE ACQUA DALL'ARIA

Non è necessario combinare idrogeno e ossigeno per creare acqua quando c'è H_2O già pronta che fluttua nell'aria sotto forma di vapore acqueo, la sostanza che condensandosi forma le nuvole e talvolta cade persino a terra, sotto forma di pioggia. In media, ogni metro quadrato della Terra ha circa 24 litri d'acqua nella colonna d'aria che lo sovrasta.[7]

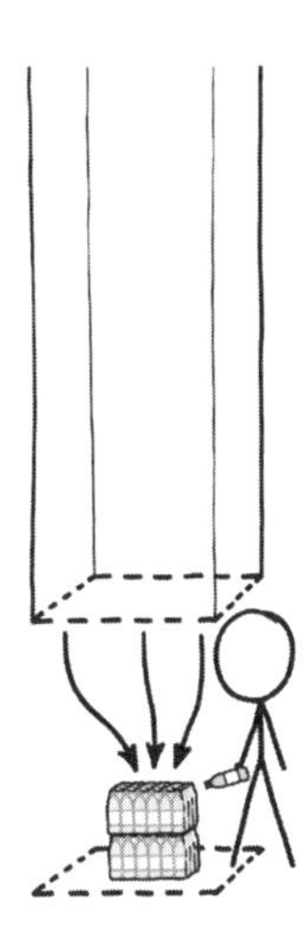

Se tutta questa acqua cadesse sotto forma di pioggia, formerebbe uno strato di circa 2,5 cm di spessore. Se avete un giardino di mezzo ettaro e l'aria ha una quantità media di umidità, allora ci sono circa 120.000 litri d'acqua nell'aria sopra il vostro terreno. È abbastanza per riempire una piscina! Sfortunatamente, molta di questa acqua sta piuttosto in alto ed è difficile da raggiungere. Sarebbe bello se potessimo far cadere l'acqua su richiesta, ma nonostante i tentativi periodici di semina delle nuvole, nessuno ha trovato il modo per indurre la pioggia in modo affidabile.

7 È solo una media: la quantità totale di acqua per metro quadrato varia da quasi niente, nell'aria fredda sopra i deserti, fino a un'ottantina di litri per metro quadrato in una giornata umida ai tropici.

Il metodo abituale per estrarre l'acqua dall'aria consiste nel far fluire quest'ultima lungo una superficie fredda, in modo che l'acqua si condensi come rugiada. Per far uscire tutta l'acqua dall'aria, bisognerebbe costruire una torre di raffreddamento alta vari chilometri. Fortunatamente, l'aria si muove da sola e quindi non è necessario costruire una torre così alta: se c'è vento, basta raccogliere l'umidità dall'aria mentre passa accanto a casa vostra.

La raccolta dell'umidità è in realtà un modo inefficiente per ottenere acqua. Ci vuole un mucchio di energia per raffreddare e condensare l'umidità dell'aria. Nella maggior parte dei casi servirebbe molta meno energia per raggiungere in camion una zona con più acqua, riempirlo e tornare indietro. Inoltre, anche in condizioni ideali, è improbabile che un umidificatore di questo tipo produca abbastanza acqua da riempire la piscina in tempi umani, mentre potrebbe infastidire i vicini che vivono sottovento.

OTTENERE ACQUA DAL MARE

Nel mare c'è molta acqua;[8] quindi probabilmente non importerà a nessuno se ne prendete in prestito un po'. Se la vostra piscina è al di sotto del livello del mare e non vi crea problemi una piscina di acqua salata, potrebbe essere un'opzione. Basta scavare un canale e farci scorrere dentro il mare.

Questo è accaduto nella vita vera, per caso e in modo molto drammatico.

Un tempo la Malesia era il più grande produttore al mondo di stagno. Una delle miniere da cui si estraeva si trovava vicino alla costa occidentale, a un centinaio di metri dall'oceano. Dopo che negli anni ottanta era crollato il mercato dello stagno, la miniera fu abbandonata. Il 21 ottobre 1993 l'acqua sfondò la stretta barriera che separava la miniera dal mare e l'oceano vi si riversò dentro, riempiendola in pochi minuti. La laguna creata dall'inondazione esiste tuttora e si può vedere nelle immagini satellitari alle coordinate 4,42° N, 100,61° E. Il cataclisma è stato ripreso da qualcuno che si trovava sul posto e in seguito il filmato è stato caricato su internet. Nonostante la bassa qualità, è uno dei video più sbalorditivi mai registrati.[9]

Se il fondo della piscina si trova sopra il livello del mare, collegarlo all'oceano non funzionerà; l'acqua scorre in discesa verso il mare. Ma se invece fosse possibile far salire il mare verso di *voi*?

Bene, siete fortunati; è una cosa che sta succedendo indipendentemente dalla vostra volontà. Grazie al calore intrappolato per via dei gas serra, i mari si stanno innalzando da molti decenni. L'aumento del livello del mare è provocato in parte dalla fusione dei ghiacci e in parte dalla dilatazione termica dell'acqua. Se volete riempire la piscina, potete provare ad accelerare l'innalzamento del livello del mare. Certo, aggraverebbe l'immane costo ecologico e umano dei cambiamenti climatici, ma d'altra parte, volete mettere una bella festa in piscina?

---

8 [senza fonte]

9 Cercate "Pantai Remis landslide".

Se volete provocare un rapido innalzamento del livello del mare e vi capita di avere una gigantesca calotta di ghiaccio proprio vicino a casa, potreste pensare che liquefarla sarebbe un ottimo modo per innalzare il livello del mare.

A causa però di alcuni fenomeni fisici controintuitivi, la fusione di una calotta di ghiaccio vicino a casa vostra potrebbe in realtà *abbassare* il livello del mare. Quello che vi interessa veramente è fondere il ghiaccio *dall'altra parte del mondo.*

Il motivo di questo bizzarro effetto è la gravità. Il ghiaccio è pesante e, quando è posato sul suolo, attrae lievemente gli oceani verso di sé. Quando si fonde, il livello medio dell'acqua aumenta, ma poiché essa non viene più attratta con forza verso la terraferma, di fatto il livello si può abbassare nell'area intorno al ghiaccio ora liquefatto.

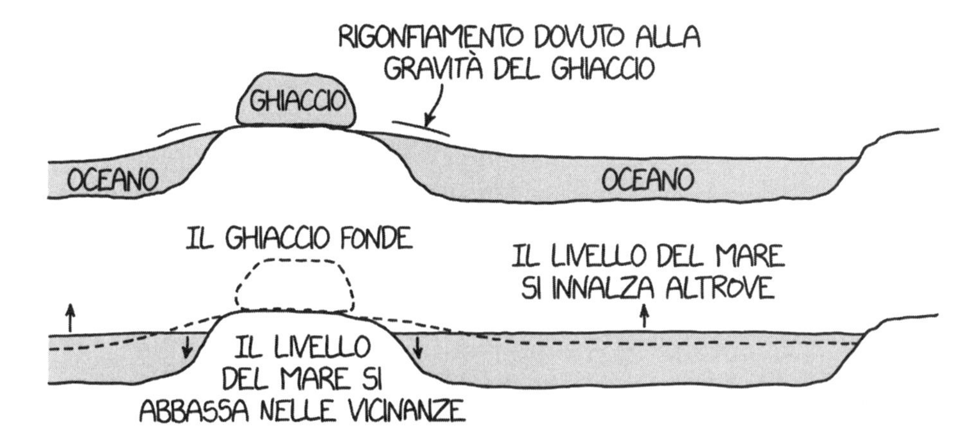

Quando il ghiaccio della calotta antartica fonde, il livello del mare sale di più nell'emisfero settentrionale. Quando fonde il ghiaccio della Groenlandia, viceversa, aumenta il livello del mare in Australia e Nuova Zelanda. Se volete alzare il livello del mare dalle vostre parti, controllate se c'è una calotta glaciale dall'altra parte del pianeta; se sì, è quella che va liquefatta.

OTTENERE ACQUA DALLA TERRA

Se non ci sono comode calotte polari da fondere – o se non volete contribuire all'innalzamento globale del livello del mare – potete provare a fare quello che fanno da millenni gli agricoltori quando hanno bisogno di acqua: prendere in prestito un fiume.

Cercate un corso d'acqua vicino e incoraggiatelo – mediante una diga temporanea – a scorrere verso la vostra piscina, abbastanza a lungo da riempirla. Attenzione, però: è già successo che progetti di questo tipo siano andati storti.

Nel 1905, al confine tra California e Arizona, si stavano scavando canali di irrigazione per portare alle fattorie l'acqua del fiume Colorado. La missione di deviare il fiume ebbe, purtroppo, fin troppo successo. L'acqua che scorreva nel nuovo canale iniziò a scavarsi un percorso più profondo e più ampio, che faceva passare ulteriore acqua. Prima che riuscissero a fermarlo, il fiume era stato catturato completamente. Inondò una vallata precedentemente asciutta più in basso rispetto alla zona da irrigare, riempiendola e creando un nuovo mare interno completamente accidentale.

Il lago Salton, che è cresciuto e calato nel corso dell'ultimo secolo, attualmente si sta prosciugando, man mano che se ne devia sempre più acqua per l'irrigazione. La polvere spazzata via dal vento dal letto asciutto del lago, contaminata da deflussi agricoli e da altre sostanze inquinanti, finisce nelle città vicine, rendendo a volte difficile respirare. L'acqua contaminata e sempre più salata ha portato a estese morie delle forme di vita acquatiche; le alghe in decomposizione e i pesci morti hanno dato luogo a un odore onnipresente di uovo marcio che occasionalmente arriva a ovest fino a Los Angeles.

Suona orrendo, ma non vi preoccupate troppo: queste disastrose conseguenze ambientali ci hanno messo un bel po' di tempo a svilupparsi.

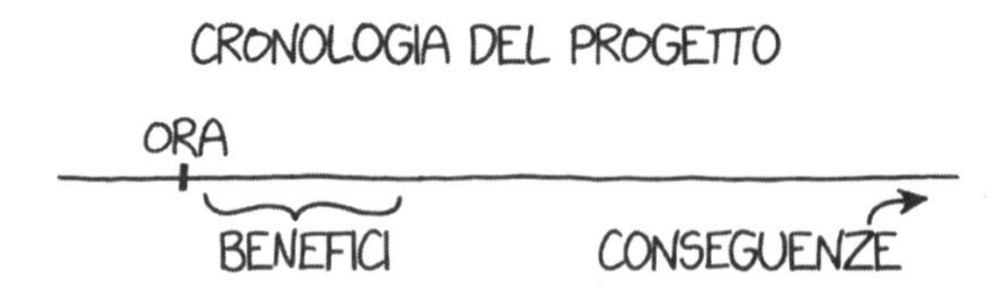

Per un breve lasso di tempo il lago Salton fu addirittura una popolare meta di villeggiatura, in cui si poteva andare in barca, nuotare e scendere a un bell'albergo. Più avanti, con il deteriorarsi delle condizioni del lago, le località si sono trasformate tutte in città fantasma. Ma di queste conseguenze ci preoccuperemo domani.

Adesso è il momento della festa in piscina!

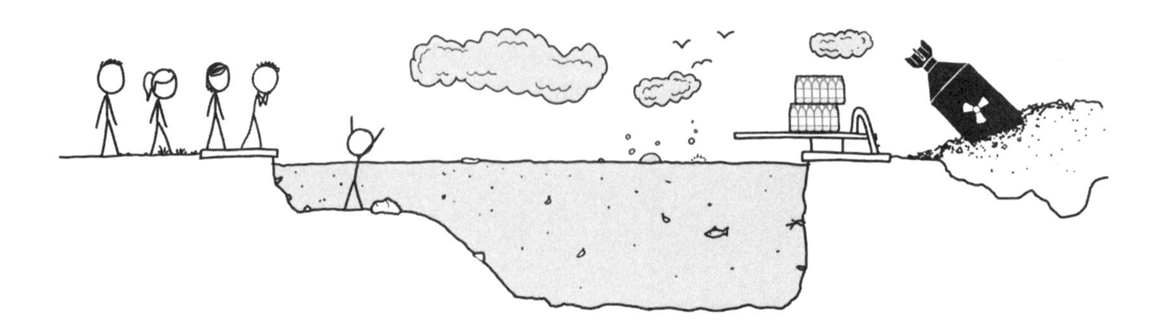

CAPITOLO 3

Come scavare una buca

Ci sono molte ragioni per scavare buche. Magari volete piantare un albero, creare una piscina interrata o formare un vialetto. O forse avete trovato una mappa del tesoro e state scavando dove c'è la *X*.

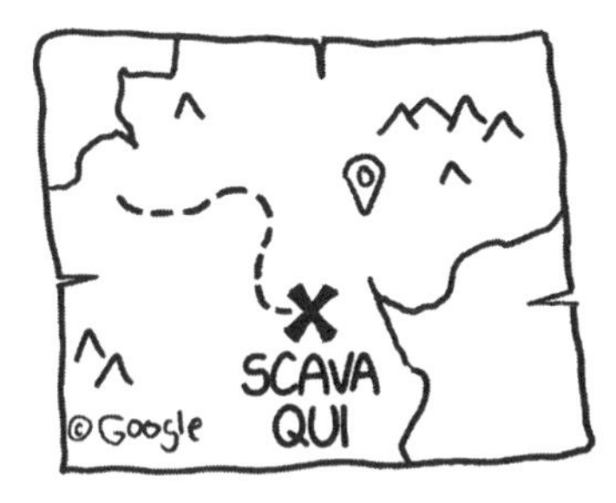

Il modo migliore per scavare una buca dipende dalle dimensioni della buca che desiderate. Lo strumento di scavo più semplice è la pala.

SCAVARE CON UNA PALA

La velocità a cui potete scavare usando una pala dipende dal tipo di terreno in cui dovete lavorare, ma in questo modo in genere si riescono a rimuovere tra 0,3 e 1 m^3 di terra all'ora. A questa velocità, in 12 ore, dovreste riuscire a scavare una buca di queste dimensioni:

Se scavate una buca per raggiungere un tesoro sepolto, a un certo punto forse è il caso di fare una pausa e pensare all'aspetto economico della situazione.

Scavare buche è un lavoro e il lavoro ha un valore. Secondo il Bureau of Labor Statistics statunitense, i lavoratori edili guadagnano in media 18 dollari l'ora. La tariffa richiesta da un appaltatore per un progetto di scavo include anche i costi di progettazione, le attrezzature, gli spostamenti per e dal sito dei lavori e lo smaltimento di eventuali scarti, il che verosimilmente porta a una tariffa oraria molto superiore. Se ci mettete 10 ore a scavare una buca per trovare un tesoro che vale 50 dollari, state lavorando per una paga di gran lunga inferiore al minimo. In teoria fareste meglio a trovare un lavoro scavando vialetti da qualche parte: alla fine guadagnereste più che non trovando il tesoro.

Sarà anche bene verificare l'autenticità della mappa del tesoro, perché i pirati in realtà non seppellivano tesori.

Anzi, non è del tutto vero. Una volta un pirata seppellì un tesoro da qualche parte. *Una singola volta.* E l'intera idea dei tesori sepolti dei pirati viene da quell'*unica* occasione.

IL TESORO SEPOLTO DEL PIRATA

Nel 1699 il corsaro[1] scozzese William Kidd stava per essere arrestato per vari reati marittimi.[2] Prima di salpare per Boston per affrontare le autorità, seppellì dell'oro e dell'argento a Gardiners Island, al largo di Long Island nell'attuale stato di New York, perché stessero al sicuro. Non era esattamente un segreto: li seppellì con il permesso del proprietario dell'isola, John Gardiner, lungo un sentiero a ovest della casa padronale. Kidd fu arrestato e più tardi giustiziato, e il proprietario dell'isola consegnò il tesoro alla Corona.

Che ci crediate o no, *questa è l'intera storia dei tesori sepolti dai pirati.* Il motivo per cui il "tesoro sepolto" è un concetto così noto è che la storia del capitano Kidd contribuì a ispirare il romanzo *L'isola del tesoro*, di Robert Louis Stevenson, che quasi da solo creò l'immagine che abbiamo in tempi moderni dei pirati.

In altre parole, questa è l'unica mappa del tesoro dei pirati che sia mai esistita:

1 Pirata.

2 Pirateria.

La scarsità di veri tesori sepolti dai pirati non ha impedito alla gente di cercarli. Dopotutto, solo perché i pirati non hanno seppellito tesori non vuol dire che non ci sia mai nulla di prezioso sotto terra. Quelli che scavano molte buche, dai cacciatori di tesori agli archeologi e agli operai edili, trovano di tanto in tanto cose di valore.

Ci dev'essere però qualcosa di irresistibile nell'atto in sé di scavare in cerca di tesori, perché sembra che a volte qualcuno si lasci un po' trascinare.

IL POZZO DEI SOLDI DI OAK ISLAND

Almeno da metà dell'Ottocento la gente ha creduto che ci fosse un tesoro sepolto vicino a un certo punto di Oak Island, in Nuova Scozia. I cacciatori di tesori hanno scavato buche sempre più profonde nel tentativo di scoprirlo. La vera origine di queste storie è oscura, ma a questo punto è diventato quasi un meta-mito: la maggior parte delle prove che ci sia qualcosa di misterioso sepolto a Oak Island è costituito da storie *sulle* prove che forse precedenti cercatori trovarono, o forse no.

Non è stato trovato nessun tesoro. Persino se davvero un tempo sull'isola fosse stata sepolta una grande cassa d'oro, il valore complessivo del tempo e del lavoro investiti da generazioni successive di cacciatori di tesori nella ricerca avrebbe ormai quasi certamente superato il valore del tesoro.

Quindi, che buca vale la pena di scavare per recuperare diversi tipi di tesori?

Un singolo doblone d'oro – il classico tesoro dei pirati – attualmente vale[3,4] circa 300 dollari. Se sappiamo dov'è sepolto un doblone, non vale la pena assumere qualcuno per estrarlo a meno che il

3 Per chiarire il contesto, sto scrivendo nel 1731.

4 Nota per tutti gli storici di un futuro remoto che hanno trovato questa pagina e stanno cercando di capire in che anno è stata scritta davvero: era uno scherzo. In realtà scrivo nel 2044 e.v. dal mio dirigibile che vola in tondo sopra il Polo Sud. Sono felicissimo che questo manoscritto sia sopravvissuto e faccia da stele di Rosetta; prometto di prendere sul serio questa responsabilità. A proposito: qui nell'anno 2044 tutti adoriamo i cani, temiamo le nuvole e non mangiamo altro che miele quando c'è la luna piena.

lavoro costi meno di 300 dollari. E se valutate il vostro lavoro 20 dollari all'ora, non dovreste dedicare più di 15 ore allo scavo.

D'altra parte, se il tesoro è uno scrigno d'oro, potrebbe valere molto più di 300 dollari. Un singolo lingotto d'oro da 1 kg vale qualcosa come 40.000 dollari, quindi un forziere contenente 25 lingotti vale circa un milione di dollari. Se la buca che dovete scavare è più grande di 20.000 m³ – equivalente circa a una buca di 30 × 30 × 20 m – ci vorrà tanto tempo che il valore del lavoro necessario per lo scavo sarà maggiore del valore del tesoro: vi frutterebbe di più fare l'appaltatore che scava per conto terzi.

L'oggetto singolo pensabile come "tesoro" tradizionale che ha maggior valore al mondo è forse una gemma di 12 grammi nota come diamante Pink Star, venduta all'asta nel 2017 per 71 milioni di dollari. È una cifra sufficiente per assumere una ditta di scavi per oltre mille anni, o un migliaio di ditte per oltre un anno. Se avete un appezzamento di mezzo ettaro e sapete che il diamante Pink Star è sepolto a una profondità di un metro in qualche punto del vostro terreno, quasi sicuramente vale la pena di scavare per cercarlo. Se invece il vostro terreno avesse un'area di un chilometro quadrato e il diamante fosse seppellito a vari metri di profondità, il costo di assumere persone per scavare inizierebbe ad avvicinarsi ai 71 milioni di dollari, e converrebbe desistere dallo scavo.

O, per lo meno, non varrebbe la pena se scavate usando le pale.

ESCAVAZIONI SOTTO VUOTO

Se lo scavo che progettate è abbastanza grande da richiedere anni per farlo a mano, allora quasi certamente una pala non è il metodo più efficiente: prendete in considerazione tecniche leggermente più moderne.

Una tecnica di scavo più moderna e l'*escavazione sotto vuoto*, che usa, di fatto, un aspirapolvere gigante per rimuovere la terra. L'aspirazione da sola non è abbastanza potente da staccare la terra pressata e quindi lo scavo sotto vuoto combina un'aspirazione industriale con un getto di aria o acqua ad alta pressione per rompere il terreno.

GETTO D'ARIA

TUBO ASPIRATORE

L'escavazione sotto vuoto è particolarmente utile quando si desidera praticare uno scavo senza danneggiare oggetti sotterranei come le radici degli alberi, i cavi o i tesori sepolti. L'aria ad alta pressione spazza via la terra ma lascia intatti gli oggetti sepolti più grandi. Gli escavatori sotto vuoto possono rimuovere molti metri cubi all'ora, aumentando potenzialmente la velocità a cui è possibile scavare di un fattore di 10 o più.

Le buche più grandi vengono realizzate usando escavatori, con cui si possono rimuovere strati di terreno successivi per creare le *miniere a cielo aperto*, enormi buche a forma di torta nuziale rovesciata. Queste buche possono raggiungere dimensioni sbalorditive: la miniera di rame di Bingham Canyon nello Utah ha una fossa centrale di più di 3 km di diametro e quasi uno di profondità.

L'intera Oak Island, il sito del famigerato pozzo di soldi, è larga meno di un chilometro e mezzo nel punto più largo. Se lo scavo di Bingham Canyon si fosse verificato lì – con l'installazione di pompe e dighe marittime[5] per tenere l'acqua fuori dalla fossa – gli escavatori avrebbero potuto rimuovere l'intera isola e il substrato roccioso sottostante fino a una profondità dieci volte maggiore rispetto alla buca più profonda scavata dai cacciatori di tesori.

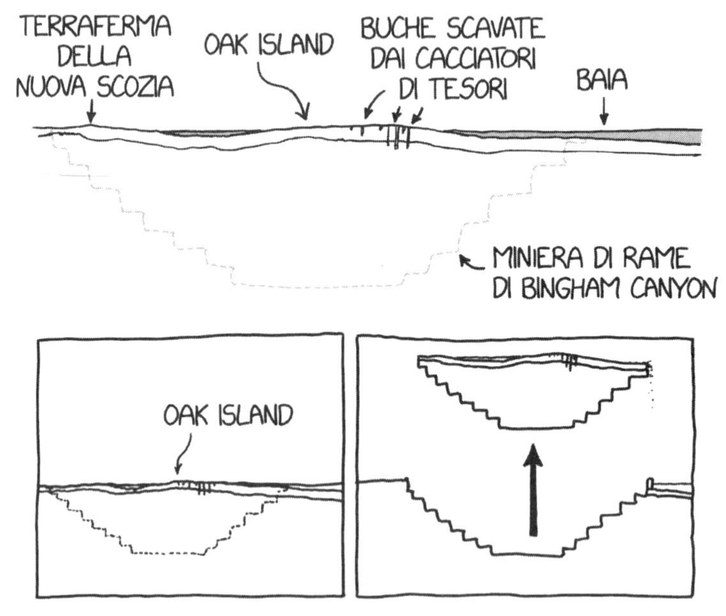

A quel punto si potrebbe setacciare accuratamente il materiale per cercare eventuali tesori, ponendo fine una volta per tutte al mistero.

RICORDATE QUANDO FU ESCAVATA L'INTERA OAK ISLAND? MIO NONNO DICEVA CHE VARIE CAMIONATE DI SUBSTRATO ROCCIOSO FURONO TRASFERITE SEGRETAMENTE IN CALIFORNIA E SOTTERRATE.

ANDIAMO A CERCARLE!

OH NO.

5 Una diga marittima è semplicemente una piscina fuori terra invertita, quindi possiamo usare i calcoli del capitolo 2, "Come organizzare una festa in piscina", per capire come dev'essere fatta. Basta usare la resistenza alla compressione anziché quella alla trazione.

I BUCHI PIÙ GRANDI

Utilizzando metodi di scavo e perforazione industriali, gli esseri umani sono in grado di scavare buche immani. Abbiamo rimosso intere montagne, creato enormi canyon artificiali e perforato pozzi fino a una profondità che è una percentuale significativa della crosta terrestre. Finché la roccia è fredda abbastanza da poterci lavorare, possiamo scavare buche profonde quanto vogliamo.

Ma facciamo bene?

Nel 1590, oltre trecento anni prima della costruzione del canale di Panama, il gesuita spagnolo José de Acosta prese in esame l'idea di scavare un canale attraverso l'istmo per collegare i due oceani. Nel suo libro *Historia Natural y Moral de las Indias*, valutò i potenziali benefici e rifletté su alcune delle difficoltà tecniche legate all'"apertura della terra e all'unione dei mari". Alla fine decise che probabilmente era una cattiva idea. Ecco la sua conclusione, dalla traduzione del 1596 di Giovanni Paolo Gallucci:

> *Ma presso di me io tengo, che tutte le forze humane non bastino a spianare il fortissimo monte, & impenetrabile, che Iddio pose fra i duoi mari dinanzi, & sassi durissimi, che bastano a sostentare la furia di ambiduoi i mari. Et quando fusse possibile questo alli huomini sarebbe al mio giuditio molto giusto temere il castigo del Cielo, il uoler emendare l'opere che 'l fattore con sommo giudicio, & prouidenza ordinò nella fabrica di questo mondo.*

Al di là delle questioni teologiche, c'è qualcosa di condivisibile nella sua umiltà. Gli esseri umani sono capaci di scavi illimitati, da una buca in cortile con una pala alla costruzione di canali fino alle miniere a cielo aperto e all'abbattimento delle montagne. Scavando buche, possiamo certamente trovare cose di valore.

Ma forse, qualche volta, è meglio lasciare il terreno com'è.

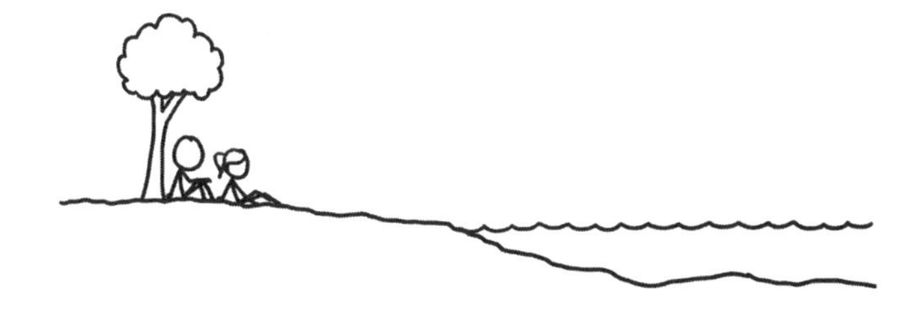

CAPITOLO 4

Come suonare il pianoforte

(l'*intero* pianoforte)[1]

1 Grazie a Jay Mooney, la cui domanda ha dato lo spunto per questo capitolo.

Suonare il pianoforte non è molto difficile, nel senso che i tasti sono tutti facilmente raggiungibili e spingerli in basso non richiede molta forza. Suonare un brano musicale è solo una questione di scoprire quali tasti è necessario premere e poi premerli al momento giusto.

La maggior parte della musica per pianoforte è scritta usando la notazione musicale standard, che consiste in una serie di linee orizzontali con segni corrispondenti alle note. Più una nota è segnata in alto e più il suo suono è acuto. Il più delle volte le note vengono disegnate nella parte con le linee, ma può capitare che note particolarmente alte o basse finiscano sopra o sotto. Un brano per pianoforte ha un aspetto più o meno così:

Un pianoforte standard ha 88 tasti, ognuno dei quali corrisponde a una nota musicale, con le più basse a sinistra e le più alte a destra. Se sulla partitura vedete dei segni sopra le linee, probabilmente dovrete premere i tasti dalla parte destra del pianoforte, mentre quelli sotto le linee probabilmente dicono di premere i tasti sulla sinistra.

Un pianoforte può suonare note abbastanza al di sopra e al di sotto delle linee. Ha anzi una delle estensioni più ampie di qualsiasi strumento musicale, il che significa che può suonare tutte le note che può suonare la maggior parte degli altri strumenti.[2] Se memorizzate tutti i tasti e tutte le note e poi vi esercitate a suonarle nel giusto ordine con il tempo giusto, siete pronti: potete suonare qualsiasi brano per pianoforte.

Be'... quasi qualsiasi. Il pianoforte standard ha un'estensione molto ampia, ma ci sono ancora delle note che non è in grado di raggiungere. Per suonare proprio *quelle* vi serviranno più tasti.

Quando si preme un tasto su un pianoforte, un martelletto colpisce una o più corde, che vibrano e producono il suono. Più lunga è la corda, più il suono sarà grave. Tecnicamente, il suono prodotto da ciascuna corda mentre vibra non ha un'unica frequenza – è una ricca miscela di frequenze diverse – ma ognuna ha una frequenza "fondamentale" centrale. La frequenza fondamentale del suono emesso dal tasto più a sinistra su un pianoforte con 88 tasti è 27 hertz (Hz), il che significa che la corda oscilla 27 volte al secondo, mentre la frequenza fondamentale del tasto più a destra è 4186 Hz. Quelli in mezzo formano una scala regolare, che abbraccia un intervallo di circa 7 ottave. La nota corrispondente a ogni tasto ha una frequenza circa 1,059 volte maggiore di quella alla sua sinistra: questo numero è 21/12, il che significa che ogni 12 tasti, la frequenza raddoppia.

Il limite superiore dell'udito umano è maggiore di 4186 Hz. I bambini piccoli riescono a udire suoni fino a 20.000 Hz. Se vogliamo essere in grado di suonare tutte le note che possono sentire gli esseri umani, dovremo aggiungere qualche tasto. Coprire l'intervallo compreso tra 4186 Hz e 20.000 Hz richiede 27 tasti aggiuntivi.

2 Il che ci fa chiedere a che servano tutti quegli altri strumenti.

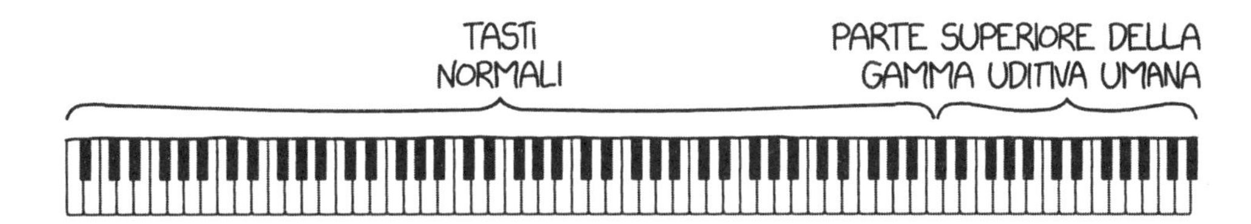

Quando si invecchia, in genere si perde la capacità di udire alcune delle frequenze più elevate e quindi non avremo bisogno di tutti i tasti se stiamo suonando musica per adulti. Quelli più a destra produrranno note udibili solo ai bambini piccoli.

All'estremità sinistra della tastiera coprire la gamma dell'udito umano è un po' più semplice. Il limite inferiore dell'udito umano è dalle parti dei 20 Hz, 7 Hz al di sotto del tasto più basso del pianoforte. Per coprire questo intervallo, servono altri cinque tasti. Questo nuovo pianoforte migliorato con 120 tasti vi permetterà di suonare qualsiasi musica per pianoforte che gli esseri umani sono in grado di udire!

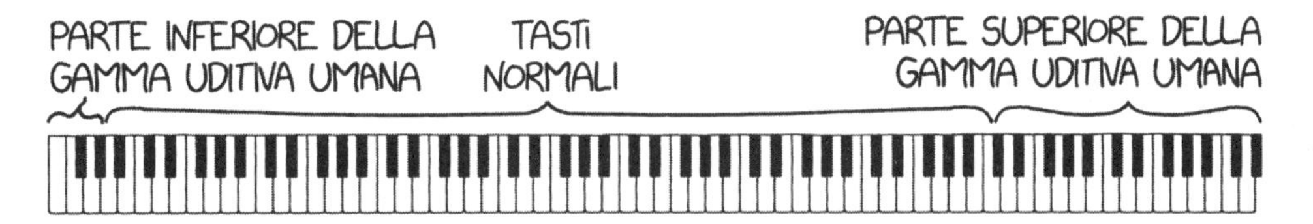

Ma possiamo estendere ulteriormente il pianoforte.

I suoni al di sopra della gamma dell'udito umano sono chiamati *ultrasuoni*. I cani riescono a sentire suoni acuti, fino a 40 kHz, il doppio della frequenza più alta udibile per gli esseri umani. È così che funzionano i fischietti per cani: producono suoni che i cani possono sentire ma gli uomini no. Per modificare il pianoforte in modo da suonare musica per cani occorrerà aggiungere 12-15 tasti.

I gatti, i ratti e i topi odono frequenze ancor più alte rispetto ai cani e avrebbero bisogno di vari tasti in più. I pipistrelli – che catturano gli insetti emettendo impulsi di ultrasuoni e ascoltandone gli echi – riescono a sentire fino a circa 150 kHz. Per coprire l'intera gamma dell'udito per esseri umani, cani e pipistrelli servirebbe un totale di 62 nuovi tasti sulla destra, per un totale di 155 tasti.

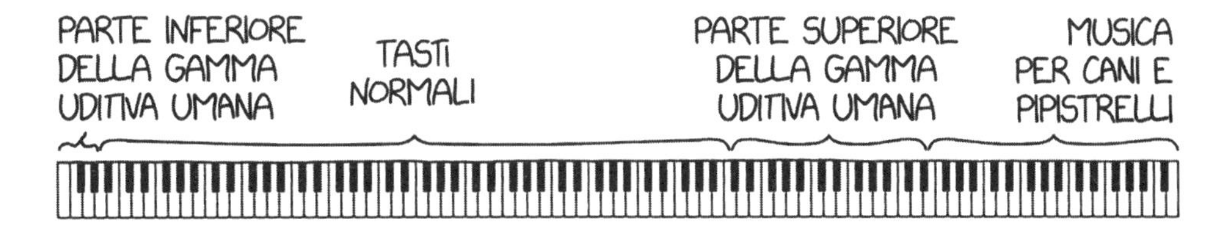

Che dire delle frequenze ancora più alte? Sfortunatamente per noi,[3] la fisica comincia a mettersi in mezzo. I suoni ad alta frequenza vengono assorbiti dall'aria mentre si spostano e quindi svaniscono rapidamente. Ecco perché un tuono vicino emette un suono "crepitante" più acuto, mentre da lontano si sente un basso rombo. Alla fonte suonano entrambi allo stesso modo, ma a lunga distanza le componenti ad alta frequenza del tuono vengono smorzate e solo quelle a bassa frequenza raggiungono l'orecchio.

Un suono di 150 kHz può percorrere solo poche decine di metri in aria, il che probabilmente è il motivo per cui i pipistrelli non usano frequenze più alte. Poiché l'attenuazione va come il quadrato della frequenza, gli ultrasuoni più acuti sono smorzati in misura ancor più significativa. Se andiamo troppo oltre i 150 kHz, il suono non sarà in grado di allontanarsi dal pianoforte. Gli ultrasuoni possono viaggiare più lontano in acqua o in un materiale solido – è così che funzionano spazzolini da denti elettrici, ultrasuoni medici e l'ecolocalizzazione ad alta frequenza di balene e delfini – ma poiché i pianoforti in genere vengono usati nell'aria,[4] 150 kHz sono un buon punto a cui fermarsi.

La parte destra del nostro pianoforte è completa. E quella sinistra?

I suoni al di sotto del normale limite uditivo di 20 Hz sono *infrasuoni* e a volte creano qualche confusione.

Quando singoli suoni si succedono abbastanza rapidamente, si confondono in un unico ronzio. Pensiamo al suono di una ruota di bicicletta se qualcosa sfiora i raggi: a basse velocità, emette un suono "clic clic clic", mentre ad alte velocità forma un ronzio. Questo fa pensare che i suoni a bassa frequenza non scendano davvero "al di sotto della capacità dell'udito umano", ma si limitino a separarsi in una serie di singoli suoni. Eppure non è proprio così.

È vero che quando i suoni sono costituiti da singoli "impulsi" complessi – come il suono roco di una carta da gioco che colpisce un raggio di una bicicletta – si separano in rumori udibili uno per uno, ma solo perché questi impulsi sono costituiti da componenti a frequenza più elevata, che rientrano nella normale gamma uditiva. Un suono puro, d'altra parte, è una semplice onda sinusoidale; il suono è fatto di aria che si muove con regolarità in avanti e indietro. Quando la frequenza scende sotto i 20 cicli al secondo, non ci sono "clic" da ascoltare. Diventa solo un'onda di pressione pulsante. Potremmo anche *percepirla* come cambiamento di pressione nell'aria o come sensazione sulla pelle, ma le orecchie non la interpretano come suono.

Gli elefanti riescono a sentire gli infrasuoni. Il loro udito arriva dalle parti dei 15 Hz – e forse più in basso – il che significa che il nostro pianoforte avrà bisogno di almeno altri 5 tasti se vogliamo suonare musica per elefanti.

---

3 (Ma fortunatamente per il nostro accordatore di pianoforti.)

4 Se volete istruzioni su come suonare il pianoforte sott'acqua, consultate *Come si fa 2. Come fare un sacco di altre cose, se siete ancora vivi dopo aver seguito le istruzioni del primo libro.*

I suoni inferiori a 15 Hz si possono rilevare usando apparecchiature apposite. Anzi, se vi interessano le frequenze *molto* basse, tecnicamente potete realizzare un "microfono per infrasuoni" semplicemente con un barometro e un blocco per appunti. Se rilevate bassa pressione, poi alta, poi di nuovo bassa, potrebbe trattarsi di un'onda di infrasuoni!

Una sequenza di basse e alte pressioni non è necessariamente un'onda: potrebbe anche essere una fluttuazione casuale di pressione nell'aria. È il motivo per cui, per rilevare questi suoni, i ricercatori in genere usano una serie di sensori distanziati di diversi metri. Quando un'onda di infrasuoni arriva all'altezza di un rivelatore, passerà su tutti i sensori circa nello stesso momento, il che aiuta a distinguere le onde di infrasuoni dal rumore casuale. Se i sensori sono sufficientemente distanziati possiamo persino capire da che direzione proviene il suono osservando quali sensori lo hanno registrato per primi.

Produrre suoni come questi richiederebbe un pianoforte molto grande, perché le corde dovrebbero oscillare così lentamente che le vedremmo muoversi. (In un certo senso, una corda per saltare è soltanto uno strumento a corda con una frequenza di circa cinque ottave al di sotto della nota più bassa di un normale pianoforte.)

Anche se non riusciamo a udire gli infrasuoni, questi si comportano come i suoni normali e portano segnali attraverso l'aria. Anzi, mentre gli ultrasuoni arrivano meno lontano dal suono normale, gli infrasuoni viaggiano *ben oltre*. Un segnale infrasonico con una frequenza inferiore a un ciclo al secondo – 1 Hz – può fare il giro del pianeta.

Le registrazioni sonore si possono tracciare su un grafico che mostra quali frequenze sono state rilevate momento per momento. Possiamo creare un grafico di questo tipo per qualsiasi registrazione audio, non solo per gli infrasuoni. Il musicista Aphex Twin ha nascosto nella sua musica "immagini" che si possono vedere su uno spettrogramma.

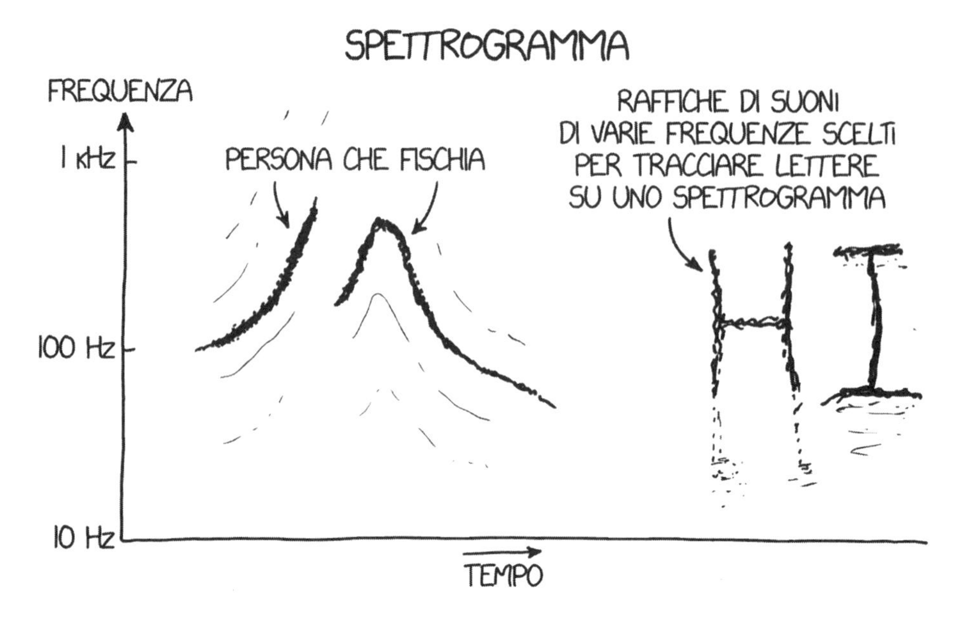

Quando un'arma nucleare esplode nell'atmosfera, crea un enorme impulso di infrasuoni. Gran parte del lavoro sul rilevamento di infrasuoni si svolse durante la Guerra fredda, quando vennero costruiti rivelatori proprio per scoprire questi impulsi. L'ultima detonazione nucleare in atmosfera, al momento della stesura di questo libro,[5] è stato un test in Cina il 16 ottobre 1980; quindi da allora le reti non hanno potuto sentire altre esplosioni.

Ma un microfono per infrasuoni rileva molte altre cose interessanti, oltre alle esplosioni nucleari. Grandi macchinari che si muovono ritmicamente, come i motori e le turbine eoliche, creano infrasuoni costanti. Altre note negli infrasuoni sono emesse dal vento che spira sulle montagne, dalle meteore che entrano nell'atmosfera e persino dai terremoti e dalle eruzioni vulcaniche. Una trama di infrasuoni atmosferici mostrerà anche borbottii di origine non chiara. È come per le normali frequenze sonore: se andate in un posto tranquillo e ascoltate con molta attenzione, sentirete rumori interessanti di ogni tipo e riuscirete a identificarne solo alcuni.

---

5 Spero proprio che non dovremo rivedere questo paragrafo prima della prossima edizione.

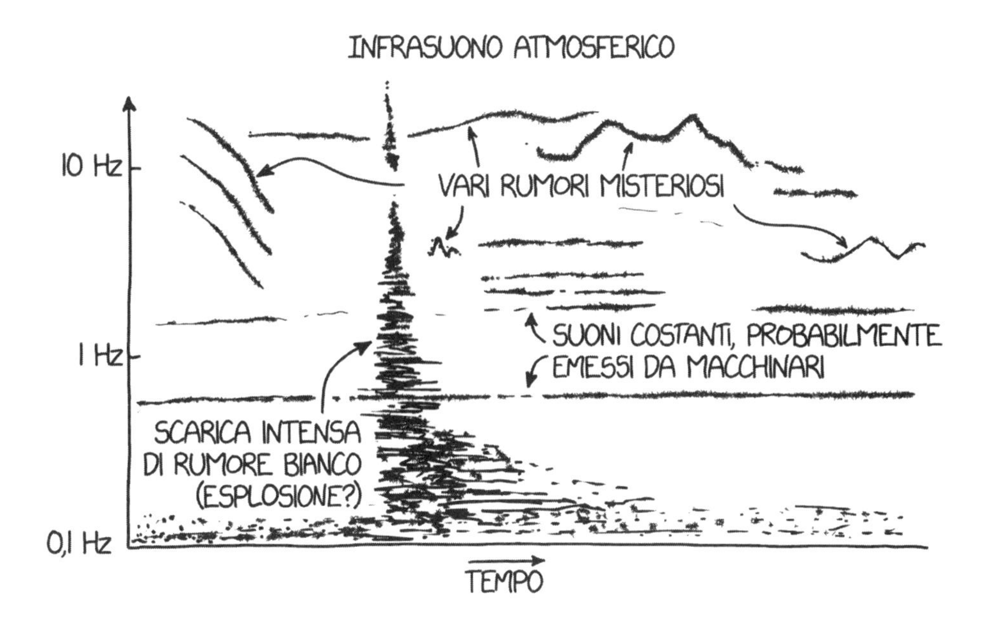

Uno degli infrasuoni più comuni è prodotto dalle onde nell'oceano aperto. Alzandosi e abbassandosi, il mare comprime ritmicamente l'aria, comportandosi come la superficie di un enorme altoparlante lentissimo, il subwoofer più forte e profondo del pianeta.

I suoni prodotti dalle onde, chiamati *microbaroms*, si trovano attorno ai 0,2 Hz. Suonare le frequenze dei microbarom sul nostro pianoforte richiederebbe altri 75 tasti, portando il totale a 235.

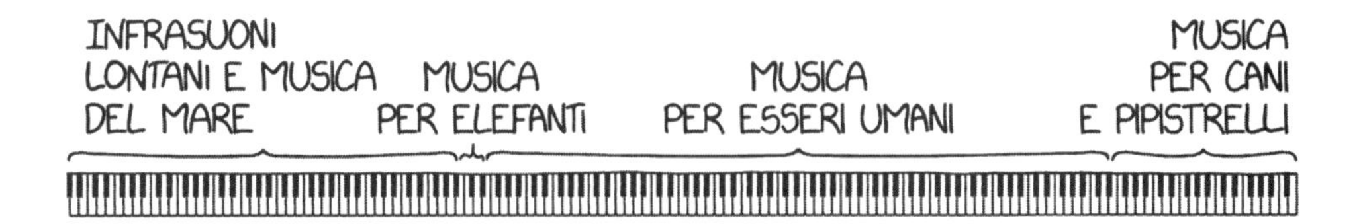

Non sono pochi, come tasti. Ma se li padroneggiate tutti, potrete suonare qualunque cosa, da Beethoven ai canti di caccia di pipistrelli, alla voce del mare stesso.

Un'ultima osservazione: questo pianoforte sarà difficile da costruire. Le normali corde del pianoforte non funzionano per generare ultrasuoni perché le vibrazioni sono poco ampie e si attenuano troppo rapidamente; persino all'interno della normale gamma di frequenze, in genere i pianoforti hanno bisogno di più corde per le note più alte perché siano sufficientemente forti. Le corde del pianoforte non sono ideali neppure per la produzione di infrasuoni: sarebbero troppo lunghe per entrare in una stanza e avrebbero difficoltà a muovere abbastanza aria. Per generare le note più alte e più basse sarà il caso di usare tecniche alternative.

Il modo più efficace per creare gli ultrasuoni è attraverso l'*effetto piezoelettrico*, in cui un cristallo vibra quando è percorso da corrente elettrica. Gli orologi digitali o quelli interni ai computer usano questo effetto per scandire il tempo: contengono un minuscolo pezzo di quarzo a forma di diapason che vibra a una frequenza precisa in reazione agli impulsi elettrici. Analoghi oscillatori al quarzo si possono usare per produrre ultrasuoni di qualsiasi frequenza si voglia.

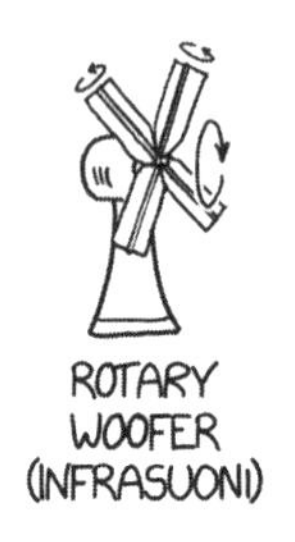

Per l'altoparlante a infrasuoni, potete usare un arnese chiamato *rotary woofer*, formato da una ventola l'inclinazione delle cui pale si può controllare con precisione perché spinga delicatamente l'aria avanti e indietro. Modificando l'inclinazione delle pale, sposta l'aria in avanti, poi indietro, quindi di nuovo in avanti.

Se riuscite a costruire il pianoforte completo a 235 tasti, ecco per voi un pezzo di prova da suonare. Ci vorrà un po' di pazienza e all'orecchio umano non sembrerà un granché.

Ma se da qualche parte ci sono dei ricercatori che stanno monitorando l'atmosfera, in attesa di esplosioni di meteoriti o di test di armi nucleari...

... gli stamperà un omino sullo spettrografo.

Infrasonata

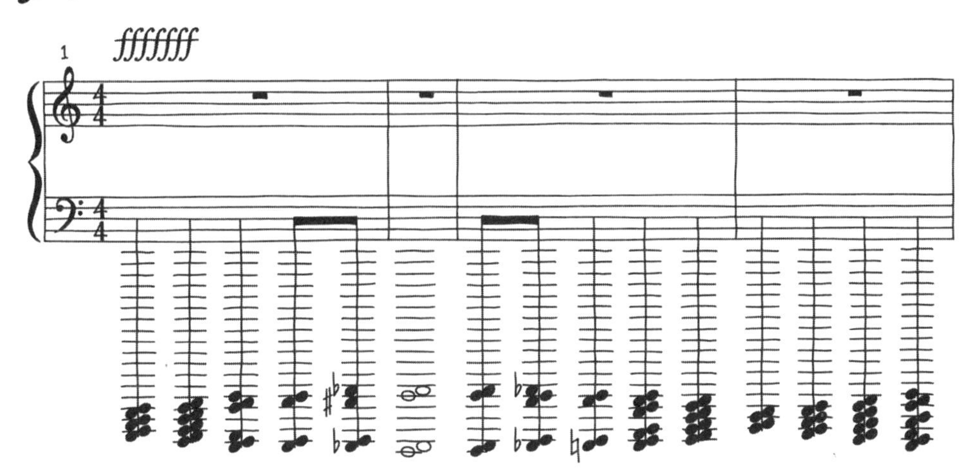

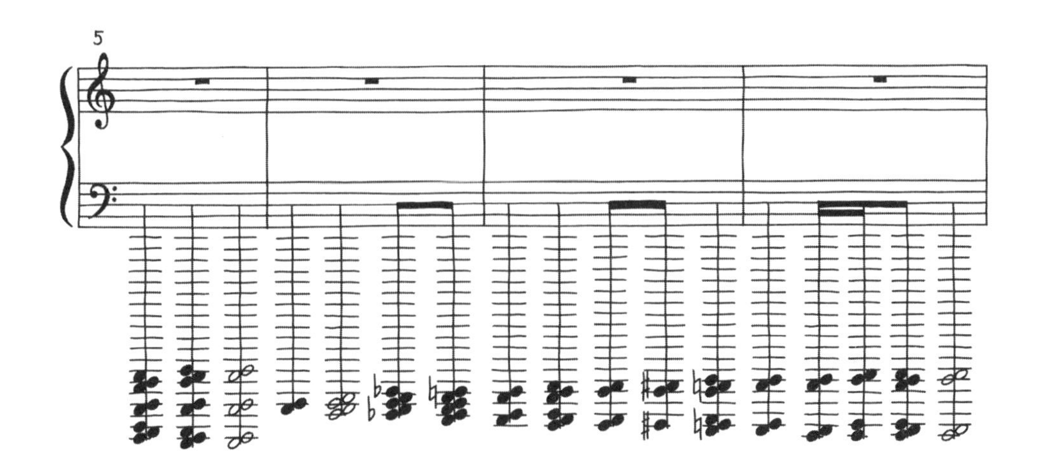

Come ascoltare la musica

NEL MAGGIO 2016 BRUCE SPRINGSTEEN TENNE UN CONCERTO A BARCELLONA. I SISMOLOGI DEL VICINO ISTITUTO DI SCIENZA DELLA TERRA (ICTJA-CSIC) RIUSCIRONO A RILEVARE SEGNALI A BASSA FREQUENZA GENERATI DAL PUBBLICO CHE BALLAVA AL RITMO DELLE VARIE CANZONI.

ADATTATO DA JORDI DÍAZ *ET AL.*, "URBAN SEISMOLOGY: ON THE ORIGIN OF EARTH VIBRATIONS WITHIN A CITY", 2017

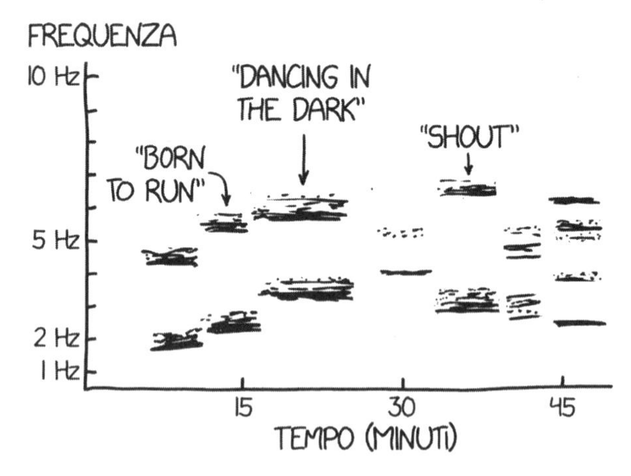

PECCATO CHE OGGI DOVEVAMO RIMANERE IN LABORATORIO. VOLEVO ANDARE AL CONCERTO DI SPRINGSTEEN.

CAPITOLO 5

Come fare un atterraggio d'emergenza

Domande e risposte con il pilota collaudatore e astronauta Chris Hadfield

Come si fa atterrare un aereo?

Per rispondere a questa domanda, ho deciso di rivolgermi a un esperto.

Il colonnello Chris Hadfield ha pilotato caccia per la Royal Canadian Air Force ed è stato pilota collaudatore per la marina degli Stati Uniti. Ha pilotato più di cento tipi diversi di aerei. Ha inoltre preso parte a due missioni dello space shuttle, pilotato una *Soyuz*, è stato il primo canadese a camminare nello spazio ed è stato comandante della Stazione spaziale internazionale (ISS).

Ho contattato Hadfield per chiedergli se ci poteva dare qualche consiglio sugli atterraggi di emergenza e lui ha gentilmente accettato.

Ho fatto un elenco di situazioni insolite e improbabili per un atterraggio di emergenza, poi l'ho chiamato e gliele ho sottoposte una per una per vedere come avrebbe risposto. Un po' mi aspettavo che dopo la seconda o terza domanda mi avrebbe riattaccato in faccia e invece, con mia sorpresa, ha risposto a tutto praticamente senza esitazione. (Con il senno di poi, il mio piano di sorprendere un astronauta prospettandogli situazioni estreme non era forse a prova di bomba.)

Ecco a voi gli scenari e le risposte di Hadfield, lievemente adattate per ragioni di chiarezza e brevità, includendo alcune risposte aggiuntive via posta elettronica. Non sono necessariamente gli unici modi possibili per gestire ognuna di queste situazioni, ma rappresentano il primo istinto di un pilota e astronauta fra i più importanti al mondo, e quindi saranno probabilmente un buon punto di partenza.

COME ATTERRARE SU UN CAMPO

D: Supponiamo di dover effettuare un atterraggio di emergenza e che in giro si vedano solo campi coltivati. A che tipo di pianta devo puntare? È meglio una più alta che fornisca più resistenza, come il granturco, o qualcosa di basso che offra una superficie meno irregolare? Un campo di zucche aiuterebbe ad ammortizzare l'impatto, come quei barili d'acqua sull'autostrada, o aumenterebbe la probabilità che mi capovolga e prenda fuoco?

R: Pilotando piccoli aeroplani, è una cosa a cui pensiamo in continuazione. Quando vai in macchina verso l'aeroporto, ti guardi intorno e pensi, quanto sono alti i fagioli? Hanno già raccolto il fieno? È piovuto di recente? Non si può atterrare su un campo fangoso.

Vogliamo un campo in cui non sia piantato qualcosa di tanto alto o fitto da far capovolgere l'aereo. Ovviamente i girasoli sarebbero un grosso errore.

La cosa migliore su cui atterrare è un campo appena piantato. Il posto peggiore è uno appena arato. Non atterrare sul ginseng: ci mettono grandi teloni per fare ombra e ci rimarresti aggrovigliato. Devi fare attenzione agli alberi. I pascoli sono belli, ma bisogna stare attenti a non colpire le vacche. Il granturco va bene per atterrarci fino a metà giugno.

COME ATTERRARE SU UN TRAMPOLINO PER IL SALTO CON GLI SCI

D: Che cosa succede se devo effettuare un atterraggio di emergenza con un piccolo aereo, ma l'unico spazio aperto che riesco a trovare è un trampolino per il salto con gli sci olimpico? Qual è il modo migliore per affrontarlo?

R: In realtà ero un maestro di sci prima di diventare un pilota di caccia.

I trampolini olimpici sono belli alti. C'è quella piccola sezione piatta in basso, che probabilmente è dove hai più chance. Arriva passando sopra gli spalti, lento e tranquillo, e avvicinati al suolo; poi, proprio quando di fronte a te inizia il pendio, tira su. Se i tempi sono giusti, puoi far stallare l'aereo nel momento esatto in cui tocchi il pendio. Ma devi cogliere proprio l'istante preciso. Se no, non c'è una seconda possibilità.

COME ATTERRARE SU UNA PORTAEREI

D: Che cosa devo fare se voglio atterrare su una portaerei, ma mi trovo su un aereo passeggeri non progettato per gli appontaggi? Devo cercare di prendere il cavo con il carrello? Come devo avvicinarmi alla portaerei?

R: Quello che ti serve è che il capitano della portaerei viri in modo da portare la nave controvento. Se la fa andare più velocemente possibile, ti può dare venti fra le 50 e le 60 miglia all'ora. Per molti piccoli aerei è una velocità sufficiente per andare lenti rispetto alla nave.

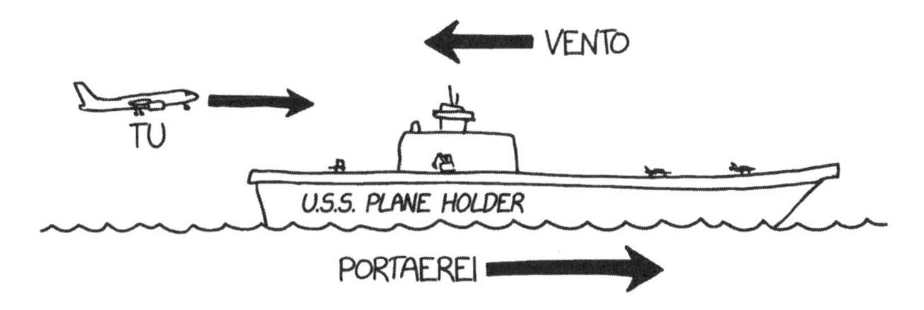

Fa' eliminare i cavi di arresto; non vuoi impigliartici per sbaglio. Servono strutture speciali per usarli. A meno che tu non abbia già installato un gancio bello solido, è meglio atterrare solo aerodinamicamente.

A quel punto devi allinearti. È il caso di usare ogni centimetro del ponte di volo. Devi estendere i flap, che di fatto modificano il profilo dell'ala, da piatta a un po' incurvata. Se guardi quando un uccello tocca terra, fa lo stesso con le ali. Quando l'idea è di volare lentamente, si tirano giù i flap.

Vuoi toccare la portaerei ESATTAMENTE all'inizio del ponte. A quel punto riduci la potenza a zero, metti i motori al minimo e rialzi immediatamente i flap, altrimenti il vento può portarti via. Però *tieni la mano sulla manetta.* Vuoi essere pronto a ridare potenza al massimo e riattaccare. Anche i piloti militari, quando appontano su una portaerei, mandano i motori a piena potenza subito dopo aver toccato, nel caso in cui il gancio manchi il cavo o quest'ultimo si rompa.

Una volta mi sono occupato di un progetto per il corpo dei *marines* degli Stati Uniti. Si erano posti un problema: "Supponiamo di avere uno spazio aperto in mezzo a un bosco, ma troppo corto per far atterrare un aereo. Possiamo mettere un cavo di arresto temporaneo nei boschi?" Con un cavo teso tra due grossi pali, puoi atterrare e fermarti ovunque. Questo sistema l'ho collaudato a Lakehurst, nel New Jersey.

COME ATTERRARE SU UNA PORTAEREI NEMICA

D: Che cosa succede se il capitano non vuole che io atterri? La farebbe girare per andare in direzione del vento, per rendermelo più difficile?

R: C'è sempre roba sul ponte. Se non vogliono che atterri, possono mettere qualcosa per bloccarti la strada. Ci sono molti carrellini che usano per trainare gli aerei: basta che li lascino sparsi per tutta la pista.

Dovresti arrivare di nascosto, farlo al momento giusto e avere fortuna. Magari ci riesci pure, ma mi sa che il capitano non ne sarebbe contento. E una volta che sei atterrato? Sei appena arrivato nella prigione più pesantemente fortificata del mondo e ti sei offerto come detenuto.

COME ATTERRARE SU UN TRENO

D: Posso atterrare su un treno andando alla sua stessa velocità e facendo scendere gradualmente l'aereo sul tetto di uno dei vagoni?

R: Sì, senz'altro. Anche su un camion a pianale. Qualche volta lo fanno negli air show.

La parte difficile sarà che, quando tocchi, il treno si muove sempre un po' su e giù, il che ti farà rimbalzare. È lo stesso problema di atterrare su un camion. Ma è assolutamente fattibile.

COME ATTERRARE SU UN SOTTOMARINO

D: Atterrare su una portaerei sembra facile, tutto sommato. E su un sottomarino?

R: Sì, se è emerso, naviga veloce controvento e hai un aereo lento e stabile. È come atterrare su una pista stretta, corta e bagnata. Penso che qualcuno l'abbia fatto. Però a volte è difficile trovare un sottomarino quando ti serve.

COME ATTERRARE DALLA PORTA DELLA CABINA DI PILOTAGGIO

D: Che cosa faccio se mi è rimasta chiusa la manica nella porta della cabina di pilotaggio e non riesco a raggiungere la parte anteriore? Però ho qualche oggetto – per esempio vassoi per i pasti – che posso lanciare verso i comandi. Se sono bravo a lanciarli, posso atterrare colpendo quelli giusti?

R: Se si tratta di un aereo monomotore, non c'è speranza. Ma in un aereo con più motori, tecnicamente potrebbe essere possibile. Controlli tutto con la potenza dei motori; se ce ne sono su entrambi i lati, muovendo le manette su e giù puoi regolare l'altitudine e anche virare. Se lanci gli oggetti con molta attenzione, puoi pilotare un aereo semplicemente spostando le manette su e giù.

C'era un DC-10 che perse tutti i controlli idraulici, vicino a Sioux City, e i piloti riuscirono a controllare l'aereo e a portarlo fino alla pista usando solo le manette.

COME FAR ATTERRARE UNO SPACE SHUTTLE A LOS ANGELES

D: In una scena del film *The Core*, del 2003, Hilary Swank interpreta un'astronauta di uno space shuttle che è andato fuori rotta a causa di un errore di navigazione. Si rende conto che si stanno dirigendo verso la città di Los Angeles e traccia una rotta per atterrare nel fiume Los Angeles, che è di fatto un lungo canale di cemento col fondo piatto. Nel film riescono ad atterrare sani e salvi nel canale. Sarebbe possibile qualcosa del genere?

R: Lo shuttle tocca il suolo a circa 200 nodi (370 km/h): 185 se sei leggero, 205 se sei pesante. Serve una lunghissima pista diritta, che si estenda per qualche chilometro. I primi atterraggi dello shuttle li abbiamo provati sulle enormi distese saline del Rogers Dry Lake presso la base aerea Edwards. Quando abbiamo cominciato a cavarcela meglio, abbiamo iniziato l'atterraggio su una pista di 4,5 km.

L'ideale è atterrare dove poi avverrà il nuovo lancio, e quindi abbiamo costruito una pista al Kennedy Space Center, lunga appunto 4,5 km. La pista alla Edwards è nel deserto: se finisci fuori pista non è troppo grave. Quella al Kennedy ha meno spazio per gli errori perché è circondata dall'acqua e ci sono gli alligatori.

Durante l'approccio per atterrare a Edwards, devi cominciare a deorbitare quando sei sopra l'Australia. Il computer calcola i tempi in modo da farti arrivare al sito di atterraggio; pianificando le cose per bene, potresti atterrare su qualsiasi superficie lunga, dritta e piatta. Atterrare nei canali di drenaggio di Los Angeles? Non sono sicuro che ce ne siano di abbastanza lunghi.

Potrebbe esserci la necessità di deorbitare in qualsiasi parte del mondo. Abbiamo identificato tutte le piste del pianeta; sullo shuttle avevamo un libro con gli schemi di tutte quante. È come un grande libro illustrato, con l'orientamento della pista e tutto il resto.

COME TROVARE UN POSTO PER FAR ATTERRARE LO SHUTTLE

D: Se non sono sicuro di come usare il computer, posso fare a occhio? Magari comincio ad accendere i motori da qualche parte sopra l'Australia, supponendo che mi portino dalla parte giusta del mondo, e poi cerco un buon sito per atterrare guardando fuori dal finestrino quando mi avvicino? In un atterraggio che margine c'è per improvvisare?

R: C'è un bel margine! Facciamo ampie curve a S per dissipare l'energia. Se ne facciamo di meno arriviamo più lontano. Più sei vicino e meno puoi cambiare idea. Ma non è del tutto inverosimile. C'è una possibilità, se punti a una zona in generale e fai qualche stima a occhio.

Quando volavano sull'x-15, un predecessore dello shuttle, i piloti cercavano di far durare i voli di prova più a lungo possibile. Neil Armstrong finì troppo in basso sopra Pasadena e dovette atterrare sul letto del lago sbagliato. Meno male che ce l'ha fatta.

COME FAR ATTERRARE UN AEREO DALL'ESTERNO

D: Immaginiamo che sono bloccato all'esterno dell'aereo, ma posso strisciare e manipolare manualmente le superfici di controllo.

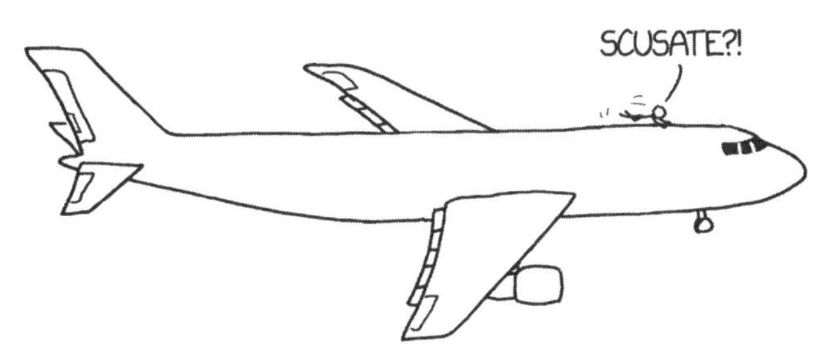

R: C'è chi cammina sulle ali, e ogni tanto si fa per aggiustare qualcosa. In un vecchio aereo lento, la velocità dell'aria è bassa a sufficienza per stare in piedi sulle ali. Puoi provare a usare il tuo peso: controlli dove va l'aereo spostando il corpo. Se sposti il peso sul lato destro, l'aereo *potrebbe* iniziare una virata a destra.

Se ti è possibile parlare con i passeggeri all'interno, puoi cercare di farli correre davanti o dietro, e magari riesci a controllarlo un po' in questo modo.

Ma se vuoi controllare meccanicamente l'aereo devi raggiungere la coda. Se sei sull'ala puoi controllare solo il rollio, ma non il beccheggio o l'imbardata. Il rollio è bello, ma il beccheggio e l'imbardata sono più importanti. Per controllarli vai alla coda.

Il problema è che queste superfici di controllo non si possono spostare a mano. Nessuno è forte abbastanza. Se tu fossi Hulk, potresti riuscire a fare presa sulla parte anteriore della deriva con una mano e usare l'altra per muovere il timone, e potresti girare l'aereo a destra e sinistra. Poi potresti allungarti in basso, afferrare l'equilibratore e fare lo stesso per regolare quanto punta in alto o in basso il muso. In teoria, se fossi abbastanza bravo, così potresti pilotare l'aereo.

Dato che non sei Hulk, quello che puoi fare, se sei in gamba, è trovare il *trim*. Il trim è una piccola sezione piatta sul bordo di una superficie di controllo, usata per regolazioni di precisione. Puoi muovere il trim, e questo ha effetto sull'intero equilibratore o l'intero timone.

COME VOLARE ATTRAVERSO IL CHUNNEL

D: Poniamo che io stia pilotando un aereo molto piccolo, come un Colomban Cri-Cri (apertura alare: 4,9 m), sull'Inghilterra meridionale proprio quando si verifica la Brexit. Per complicate ragioni legali, questo significa che devo atterrare in Francia. Sfortunatamente, sono un vampiro che non può sorvolare l'acqua della Manica. Posso volare attraverso il Chunnel che ha un diametro di 7,6 m?

R: Sì, ma un diametro di 7,6 m e un'apertura alare di 4,9 m vogliono dire una distanza massima di 1,35 m per lato se stai esattamente al centro. Se sali o scendi di poche decine di centimetri le punte delle ali colpiscono il cemento (puoi fare i conti). La parte più difficile potrebbe essere evitare tutti i cavi aerei all'ingresso e all'uscita del Chunnel. E sarebbe buio, quindi dovresti mettere delle luci sul tuo Cri-Cri, o chiedere ai cari amici del Chunnel di accendere tutto. Ma... per i meravigliosi croissant e caffè all'*aérodrome* quando atterri, potrebbe valerne la pena.

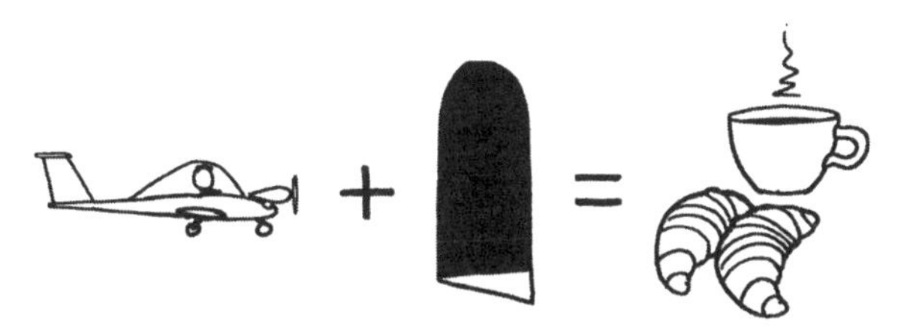

COME ATTERRARE APPESO A UNA GRU

D: Se sto pilotando un aereo con un gancio di coda vicino a una grande gru da costruzione, potrei atterrare inclinandomi lateralmente e afferrando con il gancio il cavo penzolante della gru, dopo di che – una volta che ho smesso di oscillare – chiedere all'operatore della gru di abbassarmi delicatamente a terra?

R: Forse, se sei molto fortunato. Succede spesso che un aereo si impigli nelle linee elettriche e sopravviva: l'equipaggio va calato giù con una gru. Ma l'inerzia del tuo aereo con il gancio sarebbe probabilmente eccessiva per il cavo e lo spezzeresti; inoltre, ammesso di fermarti lateralmente, che cosa ti impedisce di scivolare giù e schiantarti a terra? Tutto sommato preferirei usare le linee elettriche e sperare di non fare contatto con i cavi sbagliati e rimanere fulminato.

COME USCIRE DAL PROPRIO AEREO E PASSARE IN UNO CON PIÙ CARBURANTE

D: Poniamo che io e un amico stiamo pilotando un paio di piccoli aerei su un oceano pieno di squali. Sto per esaurire il carburante, ma ho un paracadute. Il mio amico sta volando al mio fianco. Posso uscire dal mio aereo e passare nel suo, e poi far atterrare *questo* secondo aereo?

R: Se sono biplani con l'abitacolo aperto, forse sì. Puoi trimmare i comandi del tuo aereo perché continui a volare con lo stesso assetto, far avvicinare molto l'amico, salire sulla tua ala, allungare la mano fino ad afferrare l'ala dell'altro aereo, e arrampicarti nell'abitacolo. Dev'essere aperto in modo da non dover avere a che fare con sportelli o tettucci e dev'essere un biplano in modo che ci siano montanti a cui reggersi. Se invece ti lanci dal tuo aereo e speri che il tuo amico ti possa in qualche modo afferrare mentre scendi con il paracadute, mi sa che finirai come pranzo per gli squali.

COME FAR ATTERRARE UNO SHUTTLE SE È FISSATO A UN AEREO

D: Supponiamo che io stia nello space shuttle mentre viene trasportato dallo Shuttle Carrier Aircraft (SCA). L'aeroplano è gestito dal pilota automatico, mentre il vero pilota ha deciso improvvisamente di andare in pensione e si è lanciato col paracadute. Che cosa faccio? Se ho un paracadute, suppongo che mi convenga lanciarmi anch'io da un portello dello shuttle, ma se non ce l'ho? Devo provare a staccare lo shuttle o a passare dallo shuttle all'aereo?

R: I primi voli dello space shuttle erano lanci di prova dallo Shuttle Carrier Aircraft. Quindi fossi in te aspetterei di trovarmi con una pista adatta nel raggio di planata, attiverei il meccanismo di separazione dallo SCA, punterei in alto con decisione per non farmi colpire dalla deriva dello SCA e planerei verso l'atterraggio. Come bere un bicchier d'acqua.

COME ATTERRARE CON LA STAZIONE SPAZIALE INTERNAZIONALE

D: Cosa devo fare se rimango accidentalmente sulla ISS quando viene fatta deorbitare? So che occasionalmente oggetti di grandi dimensioni sopravvivono intatti a rientri incontrollati. Se trovo un paracadute, dove mi conviene rintanarmi all'interno della ISS per avere le migliori possibilità di sopravvivere fino al punto in cui posso paracadutarmi?

R: Ti serve un pezzo di metallo piatto e pesante e devi avere una tua scorta di ossigeno. Quindi la cosa migliore è entrare in una tuta spaziale russa Orlan (facile da indossare da soli), attivarla in modo da avere pressione, raffreddamento e ossigeno, indossare in qualche modo un paracadute ed entrare nel FGB (Functional Cargo Block). Legati alla parte metallica spessa verso il centro, dove ci sono gli elementi più massicci sotto il pavimento, le batterie e la struttura, allineati con i punti di attacco dei pannelli solari... e aspetta. Ma le probabilità sono nulle o quasi.

Magari portati un rosario per avere qualcosa di ottimistico da fare mentre aspetti.

COME VENDERE PARTI DI UN AEREO MENTRE È IN VOLO

D: Mettiamo che devo far atterrare un aereo, ma prima voglio venderne più parti possibile su eBay. Decido che la spedizione è troppo costosa e così le consegno prima di atterrare smontandole dall'aereo e gettandole di sotto mentre passo sopra la casa dell'acquirente. Quanta parte dell'aereo posso vendere se voglio atterrare in sicurezza?

R: Tutto il cibo. Tutti i sedili. Ma devi stare attento a mantenere il centro di massa entro i limiti. Se il centro dell'equilibrio è troppo in avanti, allora diventa come una freccetta: per quanto tiri indietro la cloche, continuerà a puntare il muso in basso. Se il baricentro è troppo indietro, l'aereo diventa del tutto instabile. Sicuramente sbarazzati di tutto il carico: tutto quello che c'è nel bagagliaio è roba che qualcuno ha pagato per trasportare, e quindi probabilmente vale qualcosa.

COME FAR ATTERRARE UNA CASA CHE STA CADENDO

D: Quando veicoli spaziali come la *Soyuz* sono in fase di rientro, una volta che hanno aperto i paracadute non hanno più controllo: hai descritto questa fase come "cadere come la casetta di Dorothy". Nel *Mago di Oz*, quando Dorothy si sveglia e scopre che casa sua sta precipitando verso Oz, ti viene in mente qualcosa che avrebbe potuto fare per controllare la discesa? Magari guardare fuori dalla finestra e vedere la strega di sotto e cercare di prenderla, o di evitarla, o puntare a qualcos'altro?

R: Forse avrebbe potuto provare a correre in giro e aprire porte e finestre su diversi lati della casa, per vedere se riusciva a ottenere un controllo aerodinamico cambiando il flusso d'aria. Ma mi sa che non sarebbe stato facile.

COME FAR ATTERRARE UN DRONE PER CONSEGNE

D: Supponiamo che mi abbia catturato un drone quadricottero malfunzionante, che mi ha agganciato la giacca con un braccio e si sta sollevando e dirigendo verso l'oceano. Riesco a districarmi e ad arrampicarmi sul corpo del drone, ma come faccio a costringerlo delicatamente a scendere senza schiantarsi?

R: I droni sono alimentati a batteria, quindi se fossi in te allenterei la batteria, lascerei scendere un po' il drone, ricollegherei la batteria e continuerei così fino a quando capisco come regolare la discesa, dopo di che sceglierei un buon momento per saltare giù. La cosa migliore sarebbe subito dopo essere arrivato sopra l'acqua, finché è poco profonda.

COME FAR ATTERRARE UN ROC

D: Un'ultima domanda. So che forse è un po' fuori della tua area di competenza, ma supponiamo che io venga ghermito da un roc, il gigantesco uccello delle leggende. Come posso fare in modo che mi posi senza lasciarmi andare dall'alto?

R: Il meglio che puoi fare è trattarlo come un grande deltaplano arrabbiato. Se ti inclini su un lato, il roc dovrà virare in quella direzione. Se in qualche modo porti il peso in avanti, *dovrà* scendere. Se sei abbastanza forte puoi pilotarlo come un grande aliante che non collabora.

L'altra cosa che puoi fare, se hai qualcosa con te, come una tenda o molti vestiti, è cercare di farti un paracadute improvvisato. La resistenza aggiuntiva data da un paracadute o da qualsiasi grande oggetto che pende irriterebbe da matti qualsiasi creatura che cerca di volare. Se sei un paracadutista, apri il paracadute; poi hai sempre quello di riserva.

Puoi iniziare a tagliuzzargli le ali, se sei armato. Dipende se sei disposto a passare all'offensiva.

Oppure puoi provare a basarti sulla psicologia. Che cosa cerca? Hai del cibo? Vuoi solo evitare che si irriti e che ti lasci andare. Deve essere motivato per continuare a trasportarti. Penso che cercherei di arrivare a una parte del suo corpo dove non può liberarsi di me. Se riesco a montargli sulla schiena e a reggermi, finché mi tengo forte non mi può raggiungere; sarei come un insetto di cui non riesce a liberarsi. Se però intendi modificare il suo piano di volo, devi usare il peso o la psicologia o l'intelletto. Non so che cosa spinga le azioni di un roc.

Randall: Grazie mille per aver accettato di rispondere a queste domande.
Col. Hadfield: Grazie per le domande... interessanti. Spero che nessuno abbia mai bisogno di usare le mie risposte! Ma se dovesse succedere, ditelo a Randall in modo che possa aggiornare questo libro.

CAPITOLO 6

Come attraversare un fiume

A noi esseri umani piace vivere vicino ai fiumi e quindi spesso ci capita di doverli attraversare.

Il modo più semplice per superare un fiume è di guadarlo, il che significa semplicemente fingere che non ci sia, continuare a camminare e sperare per il meglio.

In genere si cerca di guadare i fiumi nelle zone in cui sono poco profondi, ma anche così ci possono essere rischi inattesi. Non è sempre facile capire a che velocità si muove l'acqua e basta che raggiunga le caviglie per portare via una persona.

Se il fiume è troppo profondo per guadarlo, potete provare a nuotare. Che ci riusciate o no dipende molto da come è fatto il fiume. Se è troppo veloce vi può portare via la corrente, trascinandovi a valle o spingendovi sotto un ostacolo o in una rapida.

Una persona normale che sa nuotare, ma non è un atleta o simili, è in grado di avanzare forse un metro al secondo. È una velocità molto maggiore di quella di alcuni fiumi e molto minore di altri; la velocità di un fiume varia da poche decine di centimetri a più di dieci metri al secondo.

Se un fiume fosse una regione ideale di acqua che si muove di moto rettilineo a velocità costante, il tempo impiegato per attraversarlo a nuoto sarebbe facile da calcolare, dal momento che basterebbe nuotare direttamente verso la riva opposta e ignorare la corrente. Un fiume che si muove più velocemente vi porterebbe più a valle mentre traversate, ma raggiungereste comunque la sponda opposta nello stesso tempo.

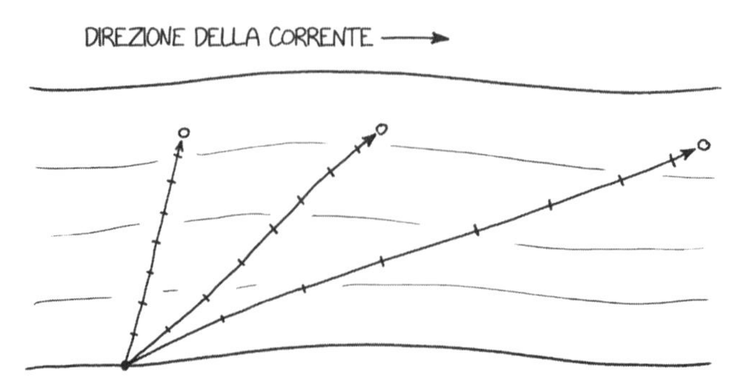

Purtroppo i fiumi reali non scorrono a velocità uniforme. L'acqua tende ad andare più veloce al centro che lungo le rive, e più in superficie che sul fondo. Le zone più veloci sono di solito sopra le parti più profonde del fiume, poco sotto la superficie. Per un fiume regolare e uniforme che scorre in linea retta, la velocità potrebbe essere così distribuita:

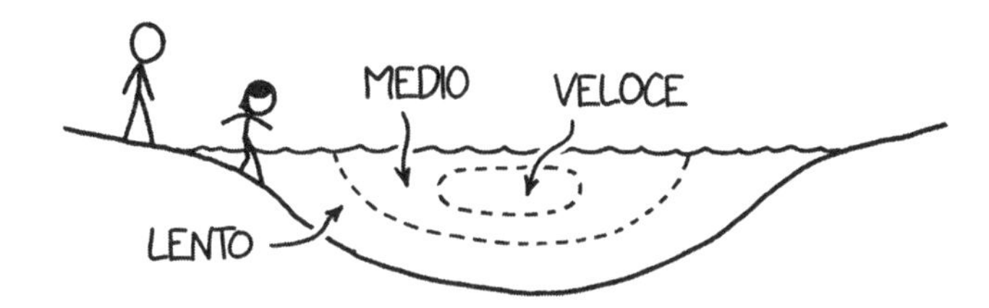

Un letto di fiume con ampie aree piatte e parti più profonde potrebbe avere un aspetto più simile a questo:

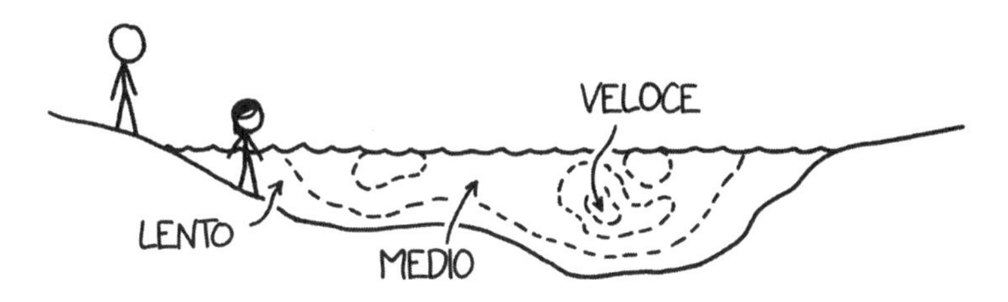

Se provaste ad attraversare a nuoto uno di questi fiumi, la vostra traiettoria avrebbe un aspetto più complicato. Inoltre, i fiumi reali non scorrono in linea retta.[1] Hanno vortici, turbolenze e correnti che serpeggiano avanti e indietro. In un vero fiume la corrente vi potrebbe allontanare dalla riva, o risucchiarvi sotto la superficie, o portarvi verso una cascata.

Sembra pericoloso. Vediamo qualche altra opzione.

SALTARCI SOPRA

Se passare a nuoto *attraverso* il fiume non vi attira, potete provare a passarci sopra. Il modo più semplice, se il fiume è abbastanza stretto, è saltare.

1 I fiumi veri hanno le curve.

C'è una formula semplice per determinare che distanza può percorrere un proiettile se viene lanciato in diagonale in condizioni ideali.

$$\text{distanza} = \frac{\text{velocità}^2}{\text{accelerazione di gravità}}$$

La distanza esatta che riuscirete a superare con un salto dipende da vari aspetti della rincorsa, dello stacco e dell'atterraggio, ma questa formula dà una stima abbastanza realistica di cosa si può fare. In base alla formula, se correte a 15 km/h potete aspettarvi di arrivare a qualcosa come 1,80 m. Ciò conferma che, per fiumi molto piccoli, superarli con un salto è sicuramente una possibilità.

Potete aumentare la distanza aumentando la velocità, motivo per cui i campioni di salto in lungo a volte sono anche grandi velocisti; in un certo senso, un saltatore in lungo è solo un velocista che è bravo ad andare brevemente in su anziché in avanti. I migliori saltatori in lungo raggiungono quasi 9 m, che corrisponde ad accelerare fino a più di 35 km/h subito prima di spiccare il salto.

Le biciclette sono più veloci dei velocisti. Se montate su una buona bicicletta e pedalate con forza, potete arrivare a circa 50 km/h. A questa velocità superereste con un balzo – in teoria – un fiume di quasi 20 m.

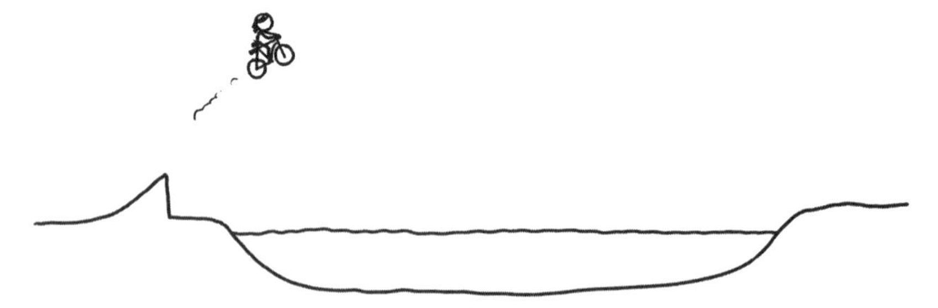

Purtroppo, per via della conservazione dell'energia, se state andando a 50 km/h quando staccate, arriverete a 50 km/h quando atterrerete sulla riva opposta. È una velocità tale da causare lesioni gravi o mortali. In realtà potrebbe essere più sicuro provare a farlo con un fiume *più largo* di 20 m. Se ci provate con uno di 25 m, dall'altra parte atterrerete in acqua, il che probabilmente vi farà meno male rispetto all'atterraggio su un terreno solido.

Almeno, purché l'acqua sia sufficientemente profonda.

Veicoli più veloci possono ovviamente saltare più lontano. Una macchina che va a 100 km/h potrebbe in teoria saltare sopra un ostacolo largo più di 70 m. Tuttavia, far atterrare senza problemi una macchina che vola a 100 km/h è improbabile.

Lo stuntman motociclista Evel Knievel è diventato famoso saltando sopra varie cose a bordo di una motocicletta; è noto per il tentativo di saltare al di là dello Snake River Canyon su una moto a razzo che, per motivi legali, era tecnicamente classificata come aereo. Esistono diverse stime su quante ossa si sia rotto di preciso Knievel nel corso della carriera, ma il valore del suo rapporto SALTI MOTOCICLISTICI RIUSCITI : OSSA ROTTE non è elevato ed è forse inferiore a 1.

Ripensandoci, forse è meglio se lasciate questi salti ai professionisti, dopo di che anche i professionisti farebbero forse meglio a lasciar perdere.

PASSARE SULLA SUPERFICIE

Gli esseri umani non sono in grado di camminare su superfici di acqua liquida, a meno che non facciano uso di forze tecnologiche o soprannaturali.

Ci sono video virali su internet di persone che corrono sull'acqua, vanno in bicicletta e in moto sull'acqua. Il principio alla base di tutte queste acrobazie è semplice: se andate abbastanza veloce, quando toccate l'acqua non ne infrangete la superficie. Questi video di solito diventano virali perché hanno un aspetto almeno plausibile e la questione rimane irrisolta fino a quando gli autori della bufala confessano o i MythBusters indagano.

Ecco una rapida carrellata di quali tipi di acrobazie sono reali e quali sono falsi:

METODI PER MUOVERSI SULL'ACQUA
DAI VIDEO VIRALI DI YOUTUBE

	FALSO	FUNZIONA DAVVERO
CORSA	✓	
BICICLETTA	✓	
MOTOCICLETTA		✓
GATTO DELLE NEVI		✓

Come sa chi pratica sci nautico a piedi nudi, rimanere sopra la superficie richiede che i piedi si muovano a circa 50-60 km/h rispetto all'acqua. Neppure i piedi di Usain Bolt durante uno sprint vanno così veloci.[2]

Non va bene nemmeno una bicicletta. Possiamo capirlo, senza provarci, semplicemente chiedendo a un ciclista esperto: ci potrà dire che le biciclette, a differenza delle automobili, in genere non sono soggette all'aquaplaning. Possono slittare sul terreno bagnato, ma per via della forma curva delle gomme, che spingono l'acqua ai due lati, una gomma da bicicletta non perde il contatto con il terreno e non fa "surf" su uno strato d'acqua.

---

2 Se cercate di rimanere sopra la superficie dell'acqua correndo, in realtà avrebbe più senso correre sul posto, cosicché i piedi si muovano rapidamente rispetto alla superficie dell'acqua. Uno sciatore d'acqua scalzo che pesa poco e ha i piedi grandi riesce a rimanere sopra la superficie a soli 50 km/h, che è circa 5 km/h più del massimo sprint dei velocisti più veloci. Quindi rimanere sopra l'acqua correndo sul posto è probabilmente impossibile, ma non lo sapremo con certezza fino a quando qualcuno non prenderà un campione velocista – con il corpo piccolo e i piedi grandi – e lo calerà lentamente su una pozza d'acqua mentre corre sul posto. Buona fortuna se chiedete fondi di ricerca per farlo!

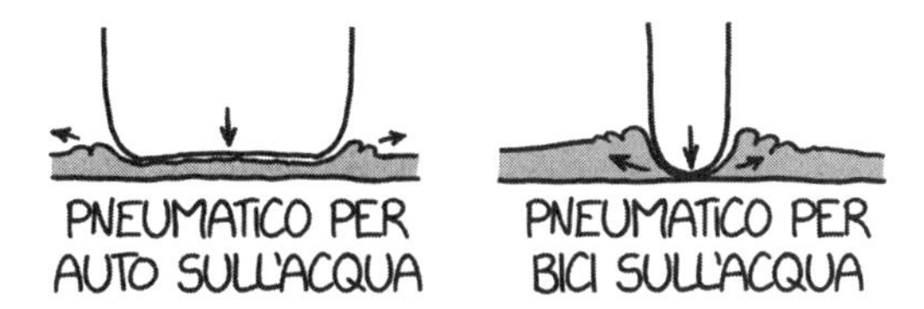

Le motociclette, che hanno pneumatici più piatti e scolpiti come le auto, possono subire l'aquaplaning, e i MythBusters hanno confermato in modo spettacolare che le si può usare anche per attraversare brevi tratti d'acqua. Ma così ci stiamo riavvicinando a Evel Knievel.

Naturalmente esistono veicoli specializzati *progettati apposta* per viaggiare sulla superficie dell'acqua.

Se avete una barca, va benissimo. Anzi, alcuni fiumi hanno barche posizionate permanentemente per trasportare persone avanti e indietro tra le due rive.

ALTRI STATI DELLA MATERIA

Quando dicevamo che gli esseri umani non possono correre sull'acqua, non era del tutto vero. Non possono correre sull'acqua *liquida*. L'acqua però ha anche altre forme. Diamo un'occhiata agli altri stati della materia e vediamo se riusciamo a portare il fiume all'uno o all'altro per facilitare l'attraversamento.

Congelare

Per congelare un fiume vi servono macchinari per la refrigerazione e una fonte di energia.

Ragionare sull'energia in un fenomeno di congelamento può creare qualche problema. In senso stretto, trasformare l'acqua in ghiaccio non *richiede* energia. Quando l'acqua congela, *emette* energia.

Quindi, se ci vuole energia per far bollire l'acqua, mentre congelarla emette energia, perché il nostro congelatore usa elettricità invece di generarla?

La risposta è che il calore contenuto nell'acqua non se ne vuole andare. L'energia termica tende naturalmente a scorrere dalle zone più calde a quelle più fredde. Quando mettiamo dei cubetti di ghiaccio in una bevanda calda, il calore lascia la bevanda e fluisce nei cubetti di ghiaccio, riscaldando il ghiaccio mentre raffredda la bevanda e portando entrambi verso l'equilibrio. Il secondo principio della termodinamica afferma che l'energia termica vuole sempre fluire in questa direzione: non accade mai che il ghiaccio si raffreddi e riscaldi spontaneamente la bevanda. Il passaggio di calore da un'area *più fredda* a una *più calda*, in senso contrario a questo flusso naturale, richiede una pompa di calore, che per funzionare ha bisogno di energia. Quando cerchiamo di rimuovere il calore da un fiume per abbassarne la temperatura e congelarlo, dobbiamo compiere un lavoro.

Possiamo usare le stime dei produttori di ghiaccio per capire quanta energia ci vorrebbe per trasformare un fiume in ghiaccio. L'Office of Energy Efficiency and Renewable Energy statunitense, nella sua guida per stimare il consumo di energia delle macchine per il ghiaccio industriali, suggerisce una stima di default di 5,5 chilowattora (kWh) per ogni 100 libbre (circa 45,4 kg) di ghiaccio prodotto. Una normale portata primaverile per il fiume Kansas a Topeka può essere di circa 200 m^3/s, il che ci porta a stimare una potenza di 87 gigawatt:

$$\frac{5{,}5\ \text{kWh}}{45{,}4\ \text{kg}} \times 1\,\frac{\text{kg}}{\text{l}} \times \frac{200\ \text{m}^3}{\text{s}} \approx 87\ \text{GW}$$

Ottantasette gigawatt sono una potenza enorme,[3] equivalgono alla potenza al lancio di un razzo pesante. Alimentare i dispositivi di refrigerazione richiederebbe un generatore di dimensioni analoghe, generatore che richiederebbe un mucchio di carburante, tanto che la portata del *carburante* sarebbe di circa 9 m^3/s, che è quasi il 5% della portata del fiume stesso.

In altre parole, l'apparato di congelamento dovrebbe essere alimentato da un fiume di benzina di dimensioni paragonabili a quelle del fiume che desideriamo congelare.

3 Bastano per ritornare al futuro 71 volte.

Ma forse possiamo cavarcela in un altro modo. Forse non serve congelare tutto il fiume: basta congelare solo la superficie.

In linea di massima, il ghiaccio deve essere spesso almeno 10 cm perché sia sicuro camminarci sopra. Il fiume Kansas è largo circa 300 m, che sarà la lunghezza del nostro ponte; quindi se vogliamo che il ponte di ghiaccio sia largo 60 m (per evitare che si deformi e si rompa), allora peserà poco meno di 2000 tonnellate. Il congelamento di una simile quantità di ghiaccio richiederebbe circa 250 megawattora di elettricità, al costo di circa 50.000 dollari (senza contare il costo di tutti i macchinari per il ghiaccio).

Bollire

Abbiamo visto le opzioni solida e liquida. E il gas? Possiamo installare qualche macchinario a monte per convertire il fiume da liquido a gas e poi attraversare il letto del fiume asciutto?

No, non è possibile, ma capiamo perché.

Prima di tutto ci serve un modo per riscaldare l'acqua. Ovviamente, non possiamo semplicemente usare normali bollitori. Dobbiamo invece...

Ok, se volete far bollire il fiume Kansas usando normali bollitori, ecco come fare.

Un tipico bollitore contiene 1,2 litri di acqua. L'acqua ha un'elevata capacità termica, cioè ci vuole molta energia per aumentarne la temperatura. Ma poi ci vuole un'*enorme* quantità di energia per trasformarla da acqua calda in vapore. Scaldare un litro d'acqua dalla temperatura ambiente a 100 °C richiede circa 335 chilojoule di energia. A questo punto spingere il liquido oltre il bordo per farlo diventare vapore alla stessa temperatura richiede ben di più: 2264 chilojoule.

Lo potete notare quando fate bollire l'acqua. La maggior parte dei bollitori elettrici ci mette circa 4 minuti per portare l'acqua a ebollizione.[4] Quando li spegniamo, il grosso dell'acqua è ancora presente: è alla temperatura di ebollizione, ma è ancora in forma liquida. Se vogliamo far bollire l'acqua finché evapora del tutto, dobbiamo continuare a fornire calore per un totale di circa 30 minuti, ben più dei 4 minuti necessari per avviare la bollitura.

La portata del fiume Kansas è di 200 m^3/s, che corrispondono approssimativamente a 10 milioni di bollitori[5] al minuto. Dato che ogni bollitore deve far bollire i suoi 1,2 litri di acqua per 30 minuti, vi servirà un totale di 300 milioni di bollitori schierati in parallelo per far bollire tutto il fiume.

Se un bollitore elettrico ha una base circolare di circa 18/20 cm, potete accostarli con una densità di circa 30 al metro quadro.

Trecento milioni di bollitori occuperanno un'area circolare di quasi 4 km di diametro. Per far bollire il fiume lo dovrete dividere, deviandone il flusso attraverso il campo di bollitori. Ogni bollitore farà bollire l'acqua mentre scorre, e una volta che si sarà svuotato, vi affluirà acqua fresca dal fiume.

Ecco come dovrebbe funzionare in teoria questo metodo:

---

4 La maggior parte dei bollitori elettrici, come la maggior parte degli asciugacapelli, sono limitati a 1875 watt, perché se avessero una potenza maggiore non li si potrebbe usare in sicurezza con le prese domestiche statunitensi (con fornitura tipicamente a 120 volt, *N.d.R.*) che hanno un valore di 15 ampere.

5 Dieci megabollitori.

Ed ecco come andrebbe in realtà:

I bollitori elettrici assorbirebbero all'incirca tanta elettricità quanto tutto il resto degli Stati Uniti messo insieme. Non è possibile in alcun modo concentrare tutta questa energia in un singolo punto usando la normale rete elettrica.

Ed è meglio così, tutto sommato. Perché se funzionasse le cose non andrebbero per niente bene.

L'acqua bollente crea vapore caldo. Il vapore sale. Con un bollitore solo in cucina non c'è problema: il vapore sale, raggiunge il soffitto, si espande e alla fine si disperde.

In un certo senso, è quello che accadrebbe anche con il nostro campo di bollitori, ma gli eventi sarebbero un po' più... vistosi. La colonna di vapore si accumulerebbe fino alla stratosfera, espandendosi e formando una nuvola a forma di fungo, come in un'eruzione vulcanica o un'esplosione nucleare. Quando l'aria sale, altra aria affluisce dai lati per prenderne il posto. Noi magari non lo notiamo quando succede sopra un fornello, ma la brava gente che vive nel Kansas intorno al campo di bollitori lo noterebbe *di sicuro*. Da tutte le direzioni soffierebbero venti raso terra verso i bollitori, convergendo verso la base della colonna di vapore che sale.

Lì alla base, nel frattempo, comincerebbe a esserci qualche problema. I bollitori assorbirebbero un'enorme quantità di energia elettrica e la rilascerebbero sotto forma di vapore e radiazione termica. L'emissione di energia del campo del bollitore sarebbe maggiore della produzione di calore di un lago di lava largo qualche chilometro.

Il calore è una specie di livellatore. In linea di massima, tutto ciò che emette energia quanto un lago di lava *diventa* un lago di lava. I nostri bollitori si surriscalderebbero, si romperebbero e si fonderebbero.

Poniamo di riuscire a trovare bollitori e cavi ignifughi e resistenti al calore. A quel punto rischierebbero di scaldare gli strati inferiori di vapore troppo velocemente. Il calore entrerebbe più velocemente di quanto la convezione possa dissiparlo e la temperatura del vapore stesso aumenterebbe. Potenzialmente, se facessimo funzionare abbastanza a lungo il campo di bollitori, il vapore potrebbe iniziare a passare da gas al plasma.

Ecco che cosa si vedrà quando proverete ad attraversare il fiume.

Mentre camminate nel fango del letto del fiume, vedete una gigantesca colonna di vapore alla vostra sinistra, che irradia un intenso calore e ha alla base un lago di lava in espansione. Dalla vostra destra soffia un vento intenso lungo il letto del fiume. Il vento per ora vi rinfresca, ma se si rafforza troppo vi potrebbe spingere verso il lago di lava. Dall'alto cade una pioggerellina che trasforma il terreno in fango caldo. In alto, i cavi elettrici crepitano e mandano scintille, mentre l'intera rete elettrica degli Stati Uniti immette energia nel nostro lago di lava.[6]

A questo punto vi rendete conto di una cosa: non serviva nemmeno accendere i bollitori. Ci sono voluti 30 minuti perché si riempissero e avreste potuto usare questo tempo per prosciugare un tratto del fiume e attraversarlo.

---

6 Una volta rimossi i bollitori, il cratere che si saranno lasciati alle spalle verrà riempito dal fiume che formerà temporaneamente un kettle. (Ringrazio i circa quattro glaciologi che hanno riso.)

Ma non sarebbe stato altrettanto divertente.

AQUILONI

Se non avete 300 milioni di bollitori,[7] potete provare ad attraversare il fiume con un aquilone.

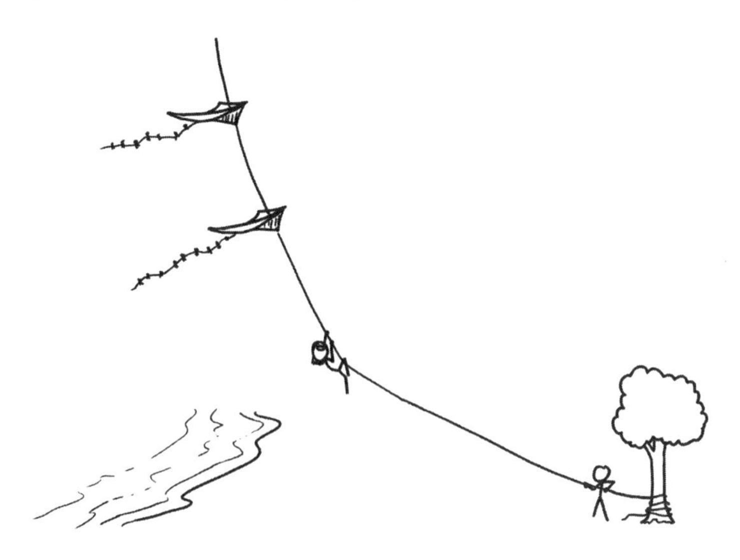

Per quanto riguarda l'attraversamento dei fiumi, di aquiloni si parla da un bel po'. Quando si decise di costruire un ponte sospeso attraverso la gola sotto le cascate del Niagara, serviva un singolo cavo che passasse da una rupe all'altra.

7 Mi chiedo come mai.

Fecero un brainstorming su come far passare il cavo. Un'idea era di usare un traghetto, ma il fiume era troppo turbolento e veloce perché una barca ci riuscisse senza finire molto a valle. La distanza era eccessiva per scagliare una freccia e presero in considerazione cannoni e razzi, ma li respinsero. Alla fine decisero di organizzare una gara di aquiloni e offrirono un premio di 10 dollari a chi fosse riuscito a farne volare uno da una parte all'altra della gola.

Dopo diversi giorni di tentativi, il quindicenne Homan Walsh riuscì a superare la gola. Lanciò il suo aquilone dalla parte canadese e riuscì a farlo impigliare in un albero dalla parte statunitense, vincendo il premio in denaro. I progettisti del ponte usarono lo spago per far passare dall'altra parte una cordicella più spessa, e così via per varie volte, fino a collegare le due nazioni con un cavo da un centimetro e mezzo.[8] Poi iniziarono a far passare altri cavi attraverso lo spazio vuoto, eressero due torri e infine costruirono un ponte sospeso.

Ovviamente, se avete intenzione di seguire il metodo di Homan Walsh, potete semplicemente fare a meno dei passaggi intermedi e volare *voi stessi* sull'aquilone. Alla fine dell'Ottocento e ai primi del Novecento, per qualche tempo, ci fu interesse sul portare in alto esseri umani con gli aquiloni, ma poi l'invenzione dell'aeroplano li rese leggermente meno entusiasmanti.

8 Il numero del 13 luglio 1848 di *The Buffalo Commercial Advertiser*, sotto il titolo "Eventi alle cascate", pubblicò una notizia di cronaca secondo cui un uccello molto grazioso del genere *Sayornis* aveva fatto il nido vicino alla ruota a pale della *Maid of the Mist*, un piroscafo per i turisti in visita alle cascate, e ogni anno nascevano nidiate di pulcini. Adoro i vecchi giornali e vorrei ricevere sul cellulare notifiche per notizie così.

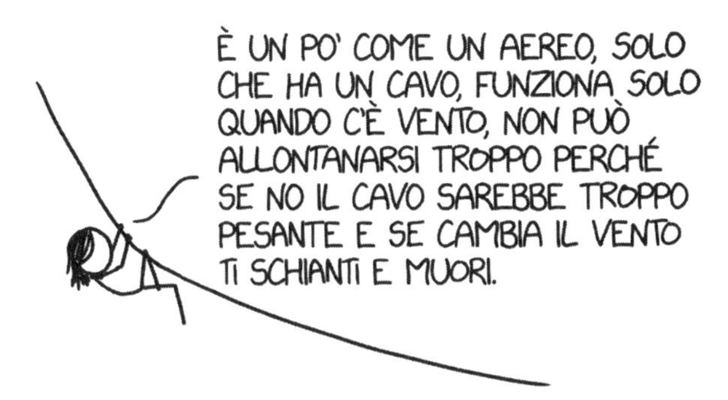

Ovviamente, non è che proprio *tutti* i voli di un aquilone con persone a bordo si schiantano orribilmente a causa dei venti che cambiano. A volte si schiantano per tutt'altro motivo!

Nel 1912 il produttore di aquiloni di Boston Samuel Perkins ne stava collaudando personalmente uno a Los Angeles. Volava a un'altitudine record di 60 m quando un biplano di passaggio troncò il filo. Miracolosamente, l'aquilone svolazzante funzionò da paracadute e Perkins sopravvisse alla caduta con lesioni minime.[9]

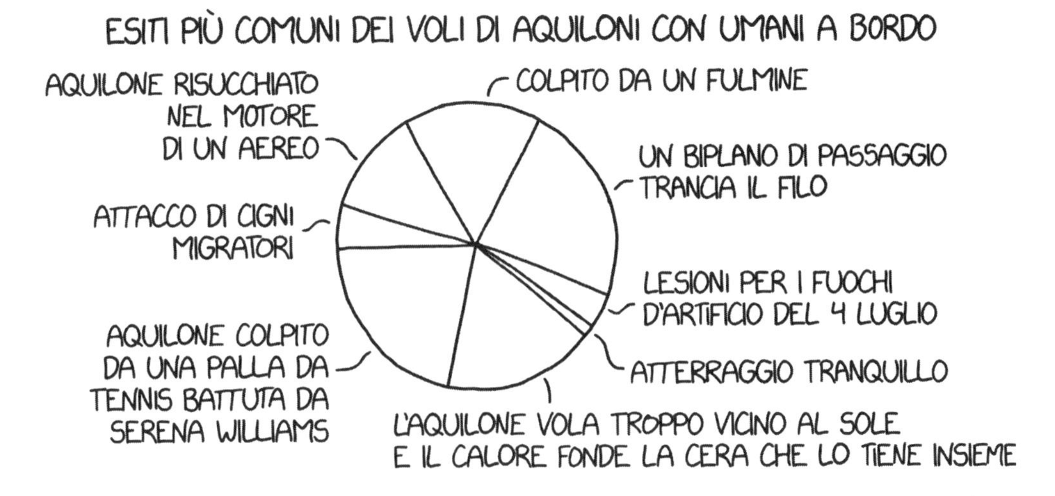

Potete anche usare un pallone ad aria calda al posto di un aquilone. Palloni e aquiloni sono curiosamente simili: un pallone fissato a uno spago è, in un certo senso, un aquilone riflesso rispetto a una linea diagonale. Un aquilone sospeso a un filo "vuole" adagiarsi al suolo per via della gravità, mentre il vento che gli scorre addosso crea una forza verso l'alto. L'angolo diagonale finale è un compromesso tra le due forze.

9 Anche un'ala del biplano rimase danneggiata, ma il pilota riuscì ad atterrare senza problemi.

Un pallone, d'altra parte, "vuole" salire in verticale, mentre il vento lo tira lateralmente. Ancora una volta, l'angolo finale è un compromesso tra le due forze. Ma quando il vento diventa più forte, gli aquiloni volano più verticali, mentre i palloncini volano più orizzontali.

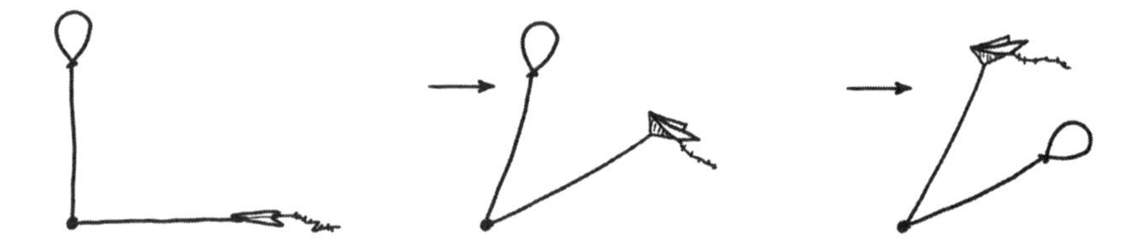

Una volta attraversato il fiume, il problema è scendere. Ma questo è facile: per una volta, la gravità è davvero dalla nostra parte. Dovrete solo rendere qualunque cosa vi stia tenendo in alto – aquilone, pallone o altro aggeggio – leggermente meno in grado di volare, e la gravità farà il resto.

CAPITOLO 7

Come traslocare

Avete scelto un posto in cui trasferirvi e ora ci dovete portare tutte le vostre cose.

Se non avete molta roba e la nuova casa non è molto lontana, è facile. Potete semplicemente mettere le vostre cose in un sacco e trasportarle dalla casa vecchia a quella nuova.

Purtroppo, se avete molte cose, traslocare può essere davvero faticoso. A un certo punto dell'operazione, molti danno un'occhiata ai loro averi, si rendono conto della fatica necessaria per trasferirli e capiscono che sarebbe più facile buttare tutto in un buco e andarsene, lasciandosi ogni cosa alle spalle. Si può fare senz'altro! Se decidete di percorrere questa strada, andate al capitolo 3: "Come scavare una buca".

In caso contrario, dovrete imballare le vostre cose. Il metodo di imballaggio standard, scelto dalla maggior parte delle persone, è quello di mettere tutte le tue cose in scatole e poi portare le scatole fuori di casa.

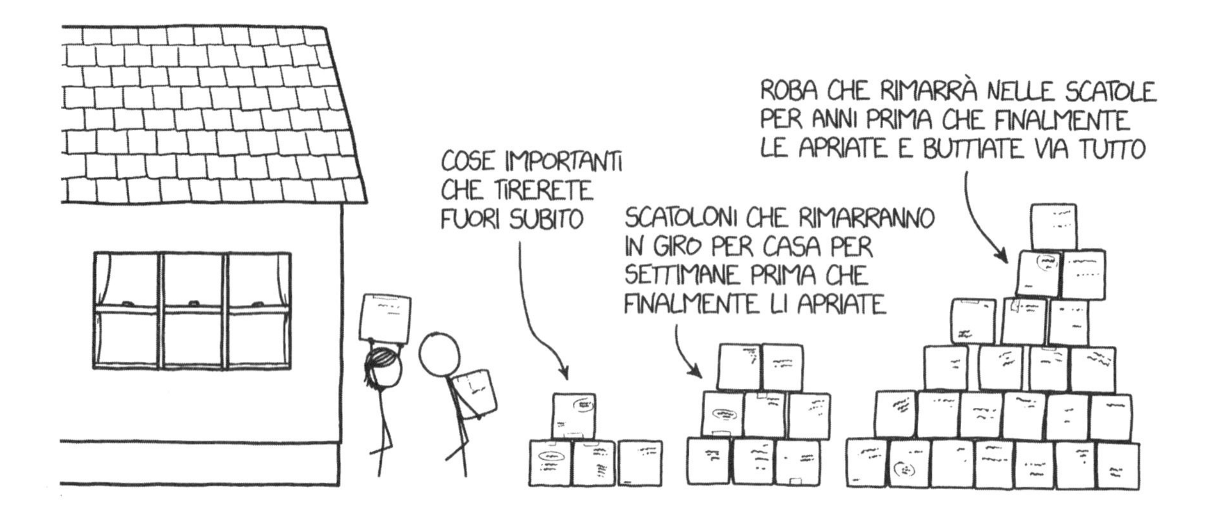

A meno che non vi stiate trasferendo in cortile, non avete ancora finito. Avete spostato le cose solo di una quindicina di metri; a seconda di dove vi state trasferendo, potrebbero esserci ancora altre centinaia di chilometri da percorrere. Come si fa?

Neanche portare le cose a mano è una buona idea. Diciamo che uno è in grado di camminare trasportando circa 20 kg. In linea di massima, i mobili e gli oggetti di una tipica casa con quattro camere peseranno sulle 5 tonnellate, il che significa che dovrete fare un totale di 250 viaggi.[1] Se avete tre persone che vi aiutano e riuscite a camminare per 15 km al giorno,[2] ci metterete sette anni a traslocare.

Le cose sarebbero molto più semplici se poteste fare un unico grande viaggio con tutte le cose contemporaneamente. La buona notizia è che, nel vuoto e in assenza di attrito, spingere le cose lateralmente non richiede alcun lavoro. E se andate verso una destinazione che sta a una quota più bassa, il trasloco richiederà addirittura un lavoro *negativo*: ne ricaverete energia! La cattiva notizia è che probabilmente non vivete nel vuoto e in assenza di attrito. Non ci vive quasi nessuno, nonostante i palesi vantaggi in caso di trasloco.

Nel nostro mondo pieno di aria e di attrito, muoversi *richiede* lavoro. Le vostre 5 tonnellate di roba sono pesanti e spingerle lateralmente richiede forza. La resistenza opposta dal terreno è semplicemente il coefficiente di attrito tra le scatole e il terreno, moltiplicato per il peso delle scatole. Per stimare il coefficiente d'attrito di qualcosa, possiamo vedere a che angolo dobbiamo portarlo perché cominci a scivolare, e poi calcolare la tangente di questo angolo.

1 Forse dovrete segare il frigorifero, per avere pezzi abbastanza leggeri da poterli portare a mano.

2 In media. Probabilmente nei viaggi di ritorno, senza pesi, andrete più veloci.

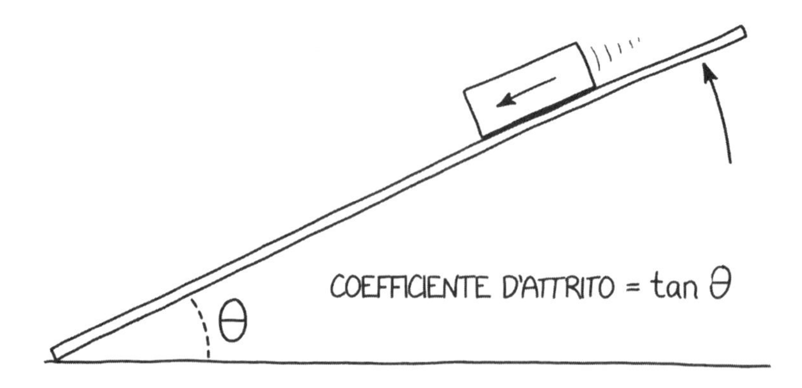

Per una scatola che scorre su una lastra di cemento, il coefficiente di attrito può valere qualcosa come 0,35, il che significa che ci serviranno 0,35 × 5000 = 1750 kg di spinta laterale per spostare gli scatoloni sul terreno. È un po' troppo per una persona sola – è circa la forza esercitata da una squadra d'élite di tiro alla fune di 15 persone – ma è all'interno delle possibilità di un grosso pick-up.

Spingere un carico di 5 tonnellate per 300 km richiede circa 5 gigajoule di energia, che è approssimativamente equivalente all'elettricità usata da una famiglia tipica in 60 giorni. Se state usando una squadra d'élite di tiro alla fune,[3] sono 600 razioni giornaliere da 2000 calorie. Sembra molto, ma non lo è: sono solo 150 litri di benzina.

Anche se avete un camion abbastanza potente da spingere tutti i vostri beni da una città all'altra, probabilmente non è un buon modo per traslocare. Mentre il cartone scivola sulla strada si usura e i vostri beni si consumeranno lentamente.

3 Sì, esistono squadre d'élite di tiro alla fune. È uno sport molto più pericoloso di quanto si pensi comunemente; si veda what-if.xkcd.com/127 per i dettagli terrificanti.

Potete migliorare la situazione mettendo tutto su una slitta fatta di un materiale duro e resistente all'attrito. Questo metodo si può migliorare ulteriormente posizionando sotto la slitta dei rulli che vengono riportati via via davanti. Ora aggiungete un assale, in modo da non dover continuare a sostituire i rulli. Congratulazioni, avete scoperto la ruota!

A questo punto, di fatto avete reinventato il furgoncino per i trasporti, che è il metodo standard per traslocare. Comunque, imballare tutto quanto richiede ancora un mucchio di lavoro. Se proprio vi rifiutate di farlo,[4] avete un'altra opzione: spostare l'intera casa.

TRASLOCARE SENZA IMBALLARE

Succede di continuo che una casa venga spostata. A volte lo fanno per conservarla per motivi storici. Altre volte è più economico portare una casa vuota che sta altrove piuttosto che costruirne una nuova da zero. E qualche volta uno decide semplicemente di voler spostare una casa e, se ha i soldi per farlo, lo può fare senza dover spiegare a nessuno il perché.

Le case sono pesanti: una casa pesa molto più di tutte le cose che contiene. Il peso di una casa varia molto, ma può essere dell'ordine di 1000 kg/m^2 comprese le fondazioni. Senza, potrebbe essere significativamente inferiore. Una casa a un piano di medie dimensioni potrebbe pesare 100 tonnellate, o 200 con le fondazioni e/o una base di cemento.

Sollevare una casa è difficile per ragioni che vanno oltre il peso. Una casa può sembrare solida, ma è meno rigida di quanto ci aspetteremmo. Alcuni addetti ai lavori lo paragonano al sollevamento di un materasso matrimoniale: se provate ad alzarlo solo da una parte, viene su solo quella parte.

Per sollevare una casa, in genere è necessario praticare fori nelle fondazioni e posizionarci sotto delle travi a doppio T, allineate con le parti portanti della struttura. A quel punto potrete sollevare le travi e la casa verrà appresso.

4 O di assumere una ditta che lo faccia per voi.

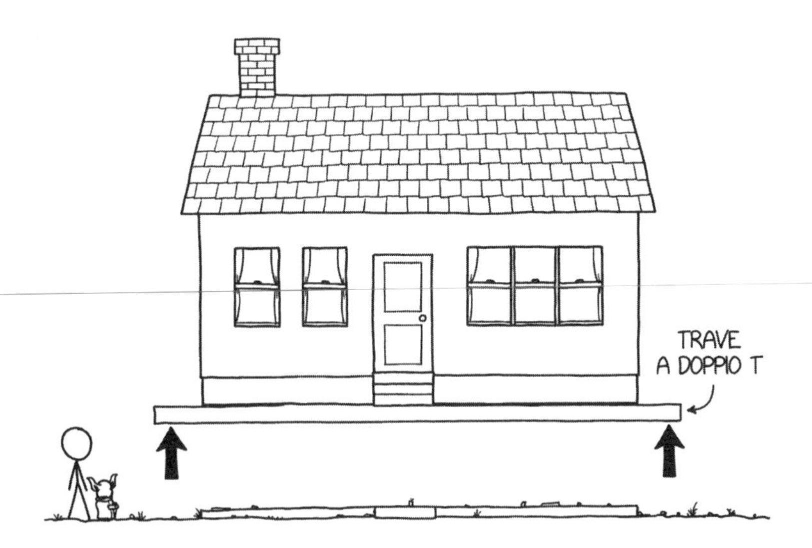

Prima però dovrete staccare la casa dalla sua fondazione, il che significa rimuovere gli eventuali *hurricane ties* tra le fondazioni e la struttura della casa. Sono dei collegamenti installati per impedire a un uragano di fare esattamente quello che state cercando di fare ora voi.[5]

Una volta che avrete sollevato la casa dalle fondazioni, dovrete trovare un veicolo su cui metterla: i camion a pianale sono la scelta più usuale. A quel punto portate con il camion la casa nella nuova destinazione, sperando che le strade siano larghe a sufficienza. Cercate di non fare curve troppo strette.

5 Se questi collegamenti non ci sono, forse potrete risparmiarvi un bel po' di fatica: se aspettate abbastanza a lungo può arrivare un uragano o un tornado che sposta la casa al vostro posto.

Guidare una casa è più difficile che guidare un'automobile.[6] A meno che non abbiate una casa insolitamente leggera e aerodinamica, probabilmente il consumo di carburante ne risentirà. Quanti chilometri possiamo aspettarci da un litro di benzina? Possiamo fare una stima usando un po' di fisica elementare. I moderni motori a combustione interna possono convertire in lavoro utile circa il 30% dell'energia contenuta nel carburante. Alle velocità tenute in autostrada, la maggior parte del lavoro del motore serve a contrastare la resistenza dell'aria; quindi, per capire quanto carburante consumerà il vostro veicolo, dobbiamo solo inserire i parametri della vostra casa nell'equazione della resistenza. (Dal momento che ci sono altre fonti di resistenza oltre al flusso d'aria, questo è probabilmente uno scenario ottimale.)

$$\text{consumo di benzina} = \frac{\text{densità di energia della benzina}}{\frac{1}{2} \times (\text{dens. aria}) \times (\text{area sez. casa}) \times (\text{coeff. res. aerodinamica}) \times (\text{velocità})^2}$$

$$= \frac{35\,\frac{\text{MJ}}{\text{l}}}{\frac{1}{2} \times 1{,}28\,\frac{\text{g}}{\text{l}} \times 6\text{ m} \times 10\text{ m} \times 2{,}1 \times (70\text{ km/h})^2} \approx 1{,}15\text{ km al litro (ossia circa 87 l/100 km)}$$

Adoro il fatto che possiamo porre alla fisica domande ridicole come "Quanta benzina consumerebbe casa mia in autostrada?" e lei ci deve rispondere.

La resistenza aumenta rapidamente a velocità più elevate. Se viaggiate a 70 km/h, percorrerete 1,15 km con un litro; già se andate a 85 km/h, non farete nemmeno 800 m con un litro. Se poi portate la casa su un'autostrada e andate a 130 km/h, avanzerete di poco più di 300 m per ogni litro di benzina bruciato.

Non sarà comunque il caso di correre tanto con la casa, dal momento che venti di 130 km/h possono svellere parti importanti del tetto. Persino rimanendo sotto il limite di velocità, la polizia stradale non sarà entusiasta se vede qualcuno che guida spericolatamente una casa.[7]

---

6 Per cominciare, il parcheggio a S è una faticaccia. D'altra parte, quando provate a inserirvi nel traffico, probabilmente gli altri saranno più inclini a lasciarvi passare.

7 Per trasportare una casa in autostrada, in genere è necessario ottenere permessi speciali per "Trasporti eccezionali" e, se state traslocando l'intera casa basandovi sulle istruzioni di un libro scritto da uno che fa fumetti, sono sicuro che i permessi non li avete nemmeno chiesti.

Se proprio dovessero fermarvi, potreste provare a sostenere di essere a casa vostra: la polizia non può entrare senza un mandato! Negli Stati Uniti gli agenti di polizia possono perquisire un veicolo in base alla *probabile causa*, ma non una casa. È il delitto perfetto!

Forse però la giurisprudenza non è d'accordo. In una causa del 1985, *California v. Carney*, la corte suprema stabilì che camper e simili, anche se parcheggiati, contano come veicoli e possono essere perquisiti senza mandato. Nella sentenza la "mobilità" e la "possibilità di viaggiare" sono menzionati come fattori chiave nel determinare se qualcosa sia un veicolo e possa essere perquisito.

> *La capacità di "mettersi in moto rapidamente" era chiaramente alla base della pronuncia in* Carroll *e i precedenti hanno costantemente riconosciuto la pronta mobilità come una delle basi principali dell'eccezione fatta per le automobili.*
>
> **– California v. Carney, 471 US 386 (1985)**

Per quanto ne so, nessun tribunale si è pronunciato sulla questione specifica se l'eccezione veicolare si applica a una casa trasportata su un camion a pianale, ma tenete presente che potreste trovarvi in un'area grigia legale.

FAR VOLARE LA CASA

Poniamo che abbiate scoperto qualche ostacolo mentre pianificavate il percorso: cavalcavia bassi o strade strette, o forse non volete chiedere il permesso per un trasporto eccezionale. O semplicemente avete troppa fretta per farvela tutta in macchina. In tal caso, potete provare a volare.

Spostare l'intera casa per via aerea presenta qualche difficoltà. Gli elicotteri più potenti del mondo possono sollevare tra le 10 e le 25 tonnellate, che sono sufficienti per trasportare i 5000 kg di beni in una casa di medie dimensioni, ma non la casa stessa.

Se un elicottero non può sollevare la casa… magari ci riescono vari insieme? Se fissate più elicotteri alla vostra casa e li fate alzare in volo contemporaneamente, sarebbero in grado di sollevare un carico più pesante?

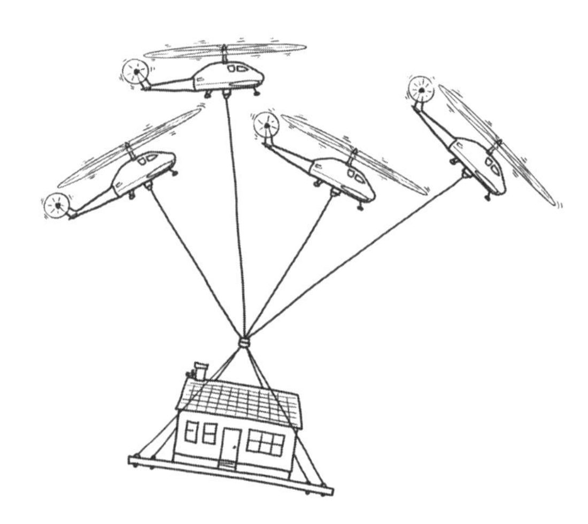

Un sollevamento multielicottero presenterebbe qualche problema. Gli elicotteri dovrebbero tirare in direzioni diverse per non collidere fra loro, il che ridurrebbe la loro capacità complessiva, e per lo stesso motivo dovrebbero anche coordinarsi con attenzione. Potreste risolvere entrambi i problemi insieme collegando gli elicotteri tra loro rigidamente, in modo che si sollevino come un singolo mezzo.

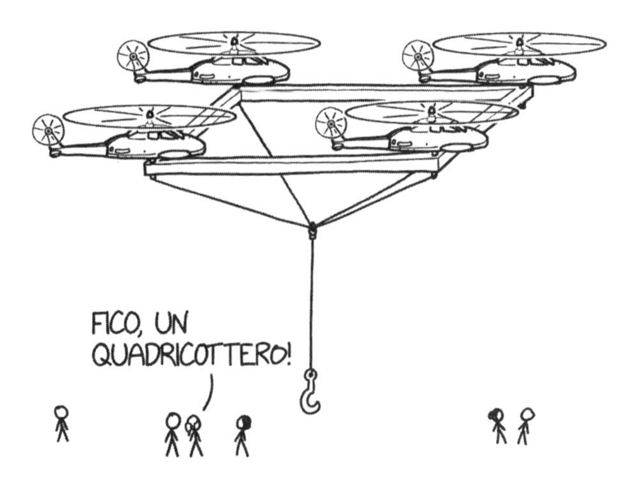

Questa idea sembra ridicola e quindi ovviamente le forze armate americane l'hanno presa in considerazione durante la Guerra fredda. In un rapporto di 178 pagine analizzarono l'idea di produrre un elicottero da trasporto superpesante mediante la sofisticata tecnica ingegneristica di prendere due elicotteri e incollarli insieme. Il progetto[8] non ha mai superato le fasi di pianificazione, probabilmente perché i diagrammi costruttivi somigliavano molto alle libellule in accoppiamento.

SISTEMA DI SOLLEVAMENTO PESANTE
MULTIELICOTTERO

LIBELLULE CHE SI ACCOPPIANO

8 Che si sarebbe meritato il nome in codice di ELICENTOPIEDI.

Gli aerei cargo riescono a sollevare più degli elicotteri. Un aereo di grandi dimensioni come il C-5 Galaxy può sollevare quasi 150 tonnellate, abbastanza per trasportare una casa di medie dimensioni, e forse anche la fondazione, se la casa è piccola. Qui il problema sono più le *dimensioni* che il *peso*: la maggior parte delle case è troppo grande per entrare nella stiva di un C-5 Galaxy.

Ci sono alcuni velivoli speciali a forma di balena progettati per trasportare carichi insolitamente ingombranti. I più grandi, come il Boeing Dreamlifter e l'Airbus Beluga XL, sono pensati per trasportare pezzi di altri aerei da una fabbrica a un'altra mentre vengono costruiti. Se glielo chiedete con gentilezza, forse l'Airbus o la Boeing ve ne prestano uno.

Se non riuscite a far entrare la vostra casa *dentro* un aereo, potete provare a mettercelo sopra. È così che la NASA trasportava gli space shuttle in giro per gli Stati Uniti, utilizzando un Boeing 747 modificato appositamente, sopra a cui veniva fissato lo shuttle.

A questo fine, l'aereo da trasporto aveva supporti speciali che sporgevano dalla parte superiore della fusoliera e che si inserivano in apposite prese nel ventre della navetta spaziale. Accanto al sostegno c'è una targa con le istruzioni da seguire, che contiene la miglior battuta nella storia dell'industria aerospaziale:

FISSARE LA NAVETTA QUI
ATTENZIONE: LATO NERO IN BASSO

Ricordate che, se fissate la vostra casa all'esterno di un aereo da trasporto, verrà sottoposta a venti di quasi 1000 km/h, molto al di là di ciò a cui può resistere la maggior parte delle strutture. Magari influirebbe anche sulle prestazioni stesse dell'aereo.

C'è un altro problema, se spostate una casa in aereo: a differenza di un elicottero da carico, che può decollare e atterrare in verticale, un aereo non può spostare la casa senza buttar giù molti pali del telefono, alberi e case vicine. A meno che non viviate all'estremità di una pista, il decollo sarà un problema.[9]

Ma se avete bisogno solo di sollevare in aria la casa e poi di spingerla lateralmente, vi serve l'intero aereo? Perché non solo la parte che dà la spinta? I motori di un 787 Dreamliner possono produrre una spinta di circa 300.000 newton, corrispondenti a circa 30.000 chilogrammi-forza, mentre pesano circa 6000 kg, il che significa che due potrebbero bastare per sollevare in aria una casetta non troppo grande. Come farlo è ovvio.

9 Se invece vivete proprio all'estremità di una pista, mi piacerebbe conoscere la vostra polizza assicurativa sugli immobili e se l'assicurazione auto copre anche le collisioni con aerei.

Potreste pensare che i motori degli aerei di linea non vadano molto bene per tenere qualcosa a mezz'aria. Dopotutto, hanno bisogno di ossigeno, che entra attraverso quelle grandi prese nella parte anteriore. Danno l'impressione di essere meno efficienti nel raccogliere aria quando non c'è un movimento in avanti che li aiuti. In realtà la maggior parte dei motori turbofan produce la massima spinta da fermi. A velocità più elevate il motore aspira l'aria in modo più efficiente, ma la resistenza aggiuntiva di tutta quell'aria in entrata contrasta la spinta extra prodotta dal motore. Solo a velocità molto elevate, vicino a Mach 1, la compressione dinamica (il *ram effect*) fa aumentare nuovamente la spinta del motore.

In teoria due motori potrebbero essere sufficienti per far volare una casa, ma probabilmente ne vorrete aggiungere un terzo e un quarto per avere più sicurezza e stabilità.

Bene, ora la casa è in aria. Per quanto tempo potremo librarci e volare in questo modo?

Durante il volo i motori a reazione hanno bisogno di molto carburante. A piena potenza vicino al livello del mare, ognuno ne consuma quasi 4 litri al secondo. Se portate a bordo più carburante potrete rimanere in aria più a lungo, ma avrete anche più peso. Se ve ne portate appresso troppo, sarete troppo pesanti per decollare.

Per calcolare il tempo per cui un veicolo di questo tipo può rimanere in volo se rifornito con la massima quantità di carburante, moltiplichiamo l'impulso specifico del motore per il logaritmo naturale del suo rapporto spinta/peso. Così troviamo la quantità di tempo per cui il motore può rimanere acceso con un pieno di carburante.

$$\text{tempo di volo} = \frac{\text{spinta del motore}}{\text{portata massica} \times \text{gravità}} \times \ln\left(\frac{\text{spinta del motore}}{\text{peso del motore}}\right)$$

Per un grande motore turbofan moderno in volo al livello del mare, così si arriva a poco più di 90 minuti. Se aggiungete il peso della casa, il vostro tempo di volo sarà *inferiore* a 90 minuti, indipendentemente dal numero di motori che aggiungerete. Se limitate la velocità orizzontale a un centinaio di chilometri orari e la nuova destinazione è oltre 150 km, dovrete fermarvi a fare rifornimento lungo la strada.[10]

10 Se rimanete senza carburante durante il volo e iniziate a perdere quota, consultate il capitolo 5, "Come fare un atterraggio d'emergenza", e andate alla sezione "Come far atterrare una casa che sta cadendo".

NELLA NUOVA CASA

Quando arrivate nella nuova casa – o quando la vecchia arriva nella sua nuova posizione – c'è ancora molto lavoro da fare. Se vi siete portati tutta la casa, forse sarà il caso di scavare una fondazione,[11] e se ce n'è già una preesistente, dovrete collegare la casa e assicurarla saldamente. Se c'è già un'altra casa sulla fondazione che desiderate utilizzare, spostatela prima di adagiarvi sopra la vostra. Vi basterà mandare in avanscoperta qualcuno con altri motori e fargli ripetere i passaggi sopra indicati con la casa presente nella destinazione. Una volta raggiunto il punto in cui la casa è in aria, portino al massimo i motori e saltino fuori. A quel punto non ve ne dovete più preoccupare; è diventato un problema altrui.

11 Si veda il capitolo 3: "Come scavare una buca".

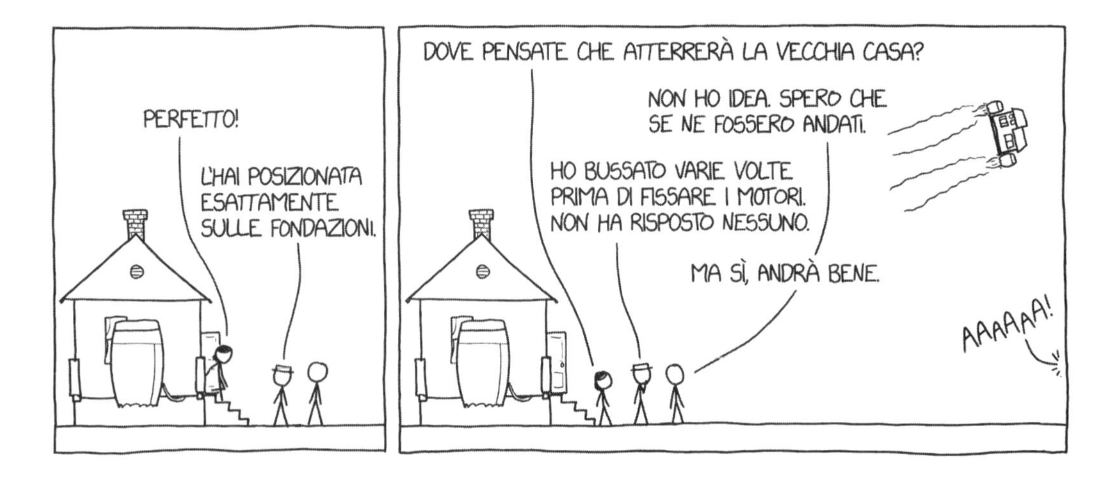

A quel punto dovrete sistemare le varie utenze, come il riscaldamento, l'acqua e l'elettricità.[12] Se vi sentite animati da particolare senso civico o vi entusiasma entrare a far parte della nuova comunità, potete andare a presentarvi ai nuovi vicini.

SMONTARE GLI SCATOLONI

Se avete imballato le vostre cose negli scatoloni – o le avete fissate in qualche modo per metterle in sicurezza durante il volo – vi rimane ancora molto lavoro. Dovete disporre i mobili in modo da avere un posto dove mettere le cose, poi dovete svuotare gli scatoloni pieni e capire dove va tutto quanto, il che può richiedere un sacco di tentativi ed errori.

12 Si veda il capitolo 16: "Come rifornire d'energia una casa (sulla Terra)".

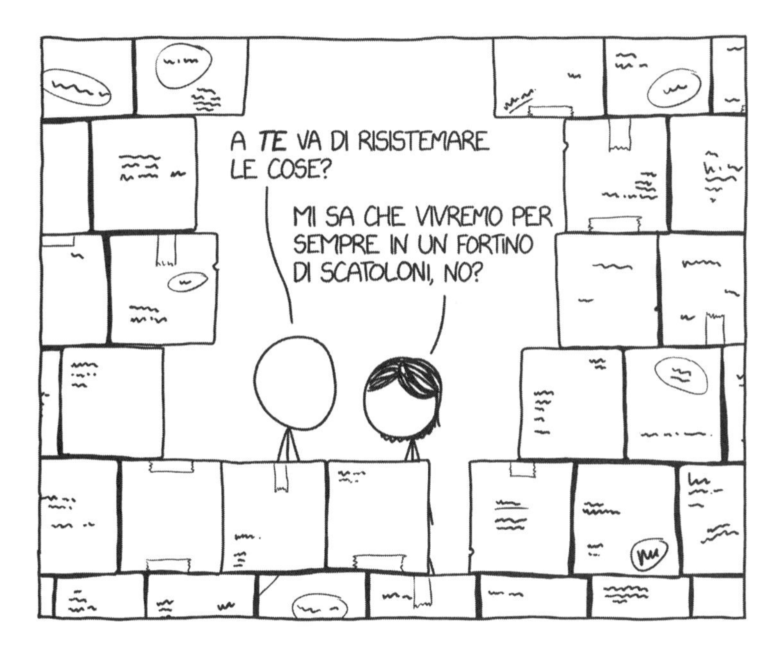

Se la prospettiva del disimballaggio vi scoraggia, potete adottare una strategia che probabilmente è apprezzata da quando gli esseri umani traslocano da un posto a un altro: liberate spazio a sufficienza per mettere il materasso sul pavimento, aprite solo la scatola che contiene lo spazzolino da denti e il caricatore del telefono, e del resto preoccupatevi domani.

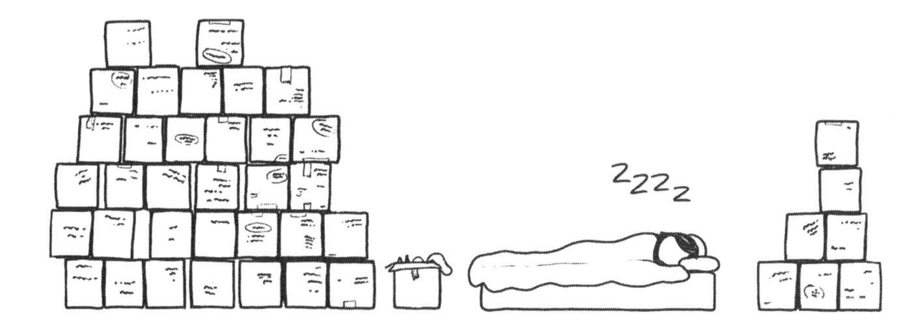

CAPITOLO 8

Come impedire che la casa si muova

Una volta che vi siete sistemati in casa, in genere volete che rimanga dove si trova.

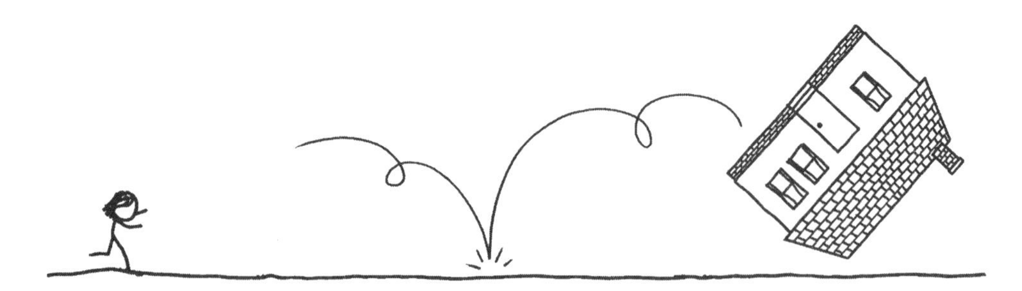

Se temete che venga portata via dal vento o che un burlone le attacchi dei motori a reazione e la faccia volare via, potete fissarla alle sue fondazioni con degli *hurricane ties*. Le fondazioni, a loro volta, si possono ancorare al substrato roccioso sottostante usando lunghi pali di metallo.

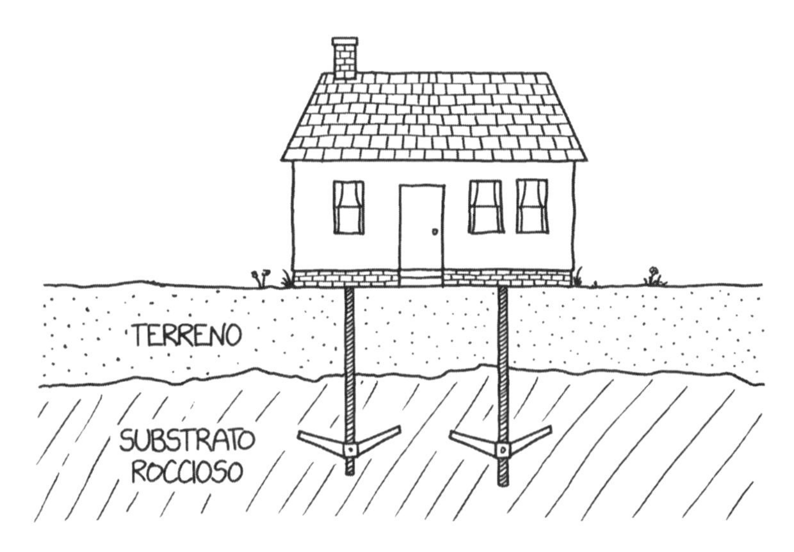

E se invece si muove tutto il substrato roccioso?

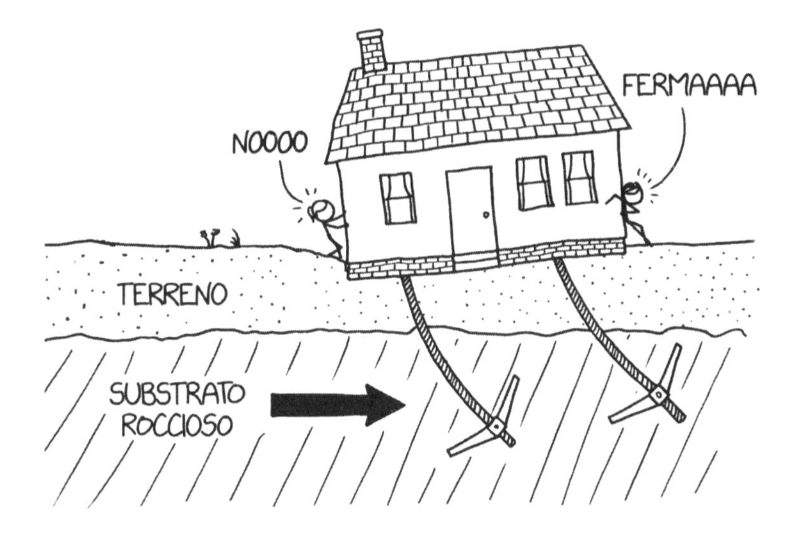

Le placche tettoniche sono in costante movimento. Gran parte dell'America del Nord si sta spostando verso ovest, rispetto al resto della Terra, a circa 2,5 cm all'anno. Sembra ovvio che le linee che delimitano le proprietà si spostino insieme alla crosta terrestre, poiché l'alternativa sarebbe ridicola: bastano pochissimi centimetri di spostamento all'anno perché in appena dieci o vent'anni uno perda il giardinetto su un lato della casa e acquisisca quello del vicino dall'altra parte.

Piuttosto che essere definiti in termini di coordinate, i confini geografici sono per lo più vincolati al suolo. Come regola generale, ciò che fa testo sulla posizione esatta di un confine tipicamente *non* è

Come inseguire un tornado

(senza alzarsi dal divano)

SE VE NE STATE COMODI E ASPETTATE ABBASTANZA A LUNGO, PRIMA O POI SARÀ UN TORNADO A VENIRE DA VOI. QUESTA CARTA GEOGRAFICA MOSTRA QUANTO TEMPO DOVRESTE ASPETTARE NEGLI STATI UNITI, IN MEDIA, PRIMA CHE UN TORNADO DI CLASSE EF-2 O MAGGIORE VI PASSI DIRETTAMENTE SOPRA.

(ADATTATA DA CATHRYN MEYER ET. AL., *A HAZARD MODEL FOR TORNADO OCCURRENCE IN THE UNITED STATES*, 2002)

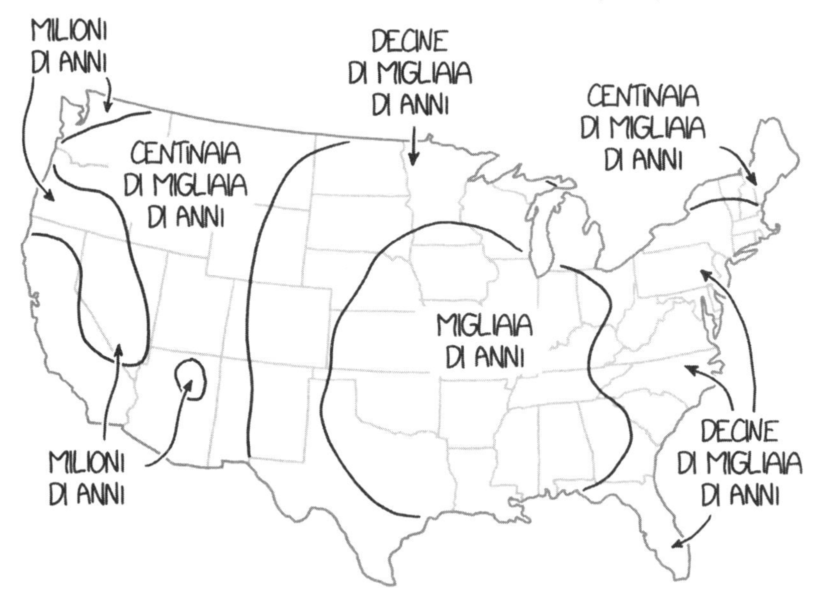

CAPITOLO 9

Come costruire un fossato di lava

Ci sono molti possibili motivi per desiderare un fossato di lava intorno a casa propria, alcuni più concreti di altri: dissuadere i ladri, impedire alle formiche di entrare o evitare che i bambini del vicinato rubino le torte che lasciate a raffreddare sul davanzale della finestra. O magari volete dare alla vostra residenza quell'estetica da "supercattivo medievale" e fare in modo che i vicini, i vigili del fuoco e l'assessorato all'urbanistica non si annoino.

GUIDA AI PREZZI DEL RISCALDAMENTO DEI FOSSATI DI LAVA
(AREA RACCHIUSA: 0,4 ETTARI)

LARGHEZZA	TEMPERATURE 600°C	900°C	1200°C
1m	$20.000	$60.000	$150.000
2m	$40.000	$120.000	$300.000
5m	$100.000	$300.000	$750.000
10m	$200.000	$600.000	$1.500.000

RAFFREDDAMENTO

Finora abbiamo discusso solo del costo del riscaldamento della lava. Ma se intendete vivere in mezzo a questo fossato, dovrete preoccuparvi anche di raffreddare la casa. Anche se c'è molto spazio tra il fossato e il fabbricato, l'irradiazione di calore della lava prima o poi renderà sgradevolmente calda la casa. Se state al chiuso, vicino a una finestra, a 10 m dal fossato, la radiazione termica supererà i limiti di esposizione calcolati dai vigili del fuoco.

È possibile ridurre la quantità di radiazione termica che raggiunge la casa incassando il fossato più in basso, cosicché una maggiore quantità di calore si irradi verso l'alto. Ma ciò risolverà solo in parte il problema; il terreno intorno al fossato sarà ancora caldissimo e irradierà calore verso di voi. Se c'è un po' di vento porterà una corrente di aria calda dalla lava, e questo è un problema intrinseco dei fossati di lava: in qualunque direzione soffi il vento, siete *sempre* sottovento.

Fortunatamente, raffreddare la casa è più facile che riscaldare il fossato. Se avete nelle vicinanze un approvvigionamento di acqua fredda, come una sorgente o un fiume, potete far scorrere acqua nelle pareti per portare via il calore in eccesso. Grazie all'enorme capacità termica dell'acqua, la si può usare per rimuovere molto calore con bassi costi di pompaggio. È una strategia usata dalle aziende tecnologiche per raffreddare le sale dei server: Google, per esempio, ha un data center sulla costa della Finlandia raffreddato dall'acqua marina.

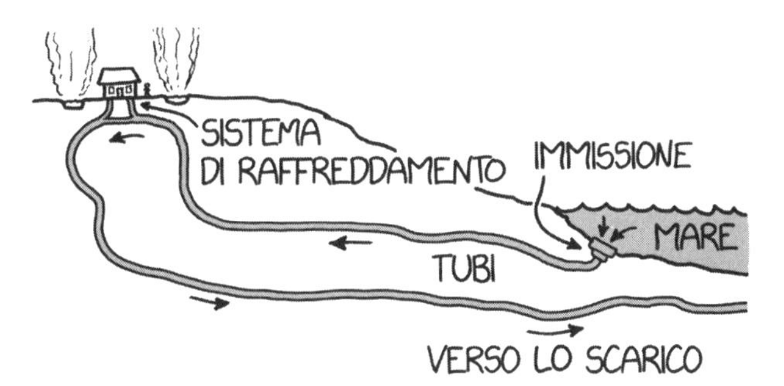

Può essere d'aiuto anche una fonte di ventilazione dall'esterno del fossato, specialmente se la vostra specifica qualità di lava tende a emettere gas tossici. Fortunatamente, il calore della lava in questo caso può essere d'aiuto: se installate gallerie di ventilazione sotto il fossato, l'aria che sale dalla lava tenderà ad aspirarne altra attraverso i tunnel che si trovano più in basso. Questo effetto "tiraggio naturale" viene usato nelle torri di raffreddamento industriali, come quelle dei reattori nucleari, e può ridurre la necessità di ventole per far entrare l'aria fredda.

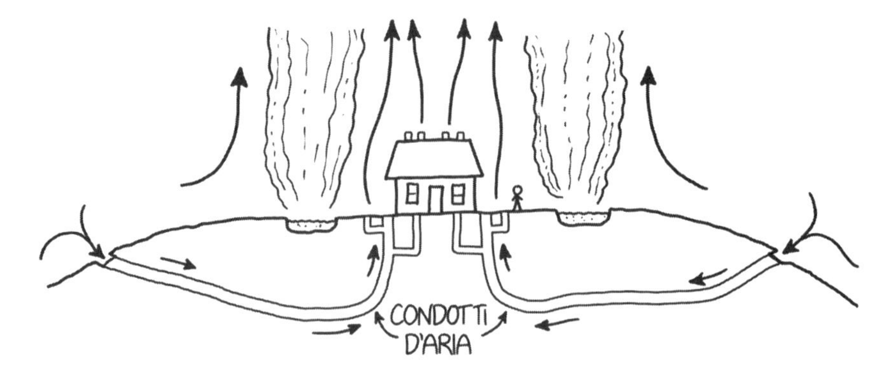

Attenzione, però: se il vostro sistema di raffreddamento ad acqua aspira acqua dall'oceano, potreste scoprire che si intasa inaspettatamente; i reattori nucleari a volte sono andati in arresto di emergenza quando le loro prese sono state bloccate da banchi di meduse.

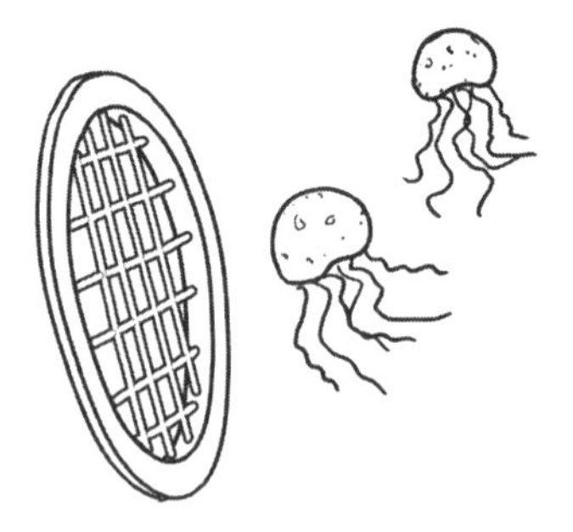

Le meduse ci fanno anche notare un problema più insidioso collegato ai fossati di lava. Installarne uno è ottimo per proteggerci, ma richiede un'infrastruttura aggiuntiva, che crea delle proprie vulnerabilità.

Le prese d'acqua ostruite dalle meduse già non sono una buona cosa, ma dal punto di vista di un supercattivo, forse vi dovreste preoccupare ancor di più per la rete di condotti di aerazione sotto casa. Perché se c'è una cosa che abbiamo imparato tutti dai film d'azione..

... è che c'è sempre qualcuno che finisce col passare di nascosto attraverso le prese d'aria.

CAPITOLO 10

Come lanciare le cose

Secondo una nota leggenda, George Washington gettò un dollaro d'argento al di là di un grande fiume.

Come molti aneddoti su Washington, anche questo si è diffuso solo dopo la sua morte e i dettagli non sono molto chiari. A volte è un dollaro d'argento, a volte è un sasso. A volte il fiume è il Rappahannock, a volte è il Potomac, molto più largo. L'unica cosa certa è che alla gente piaceva molto raccontare storie su Washington e a quanto pare "lanciare qualcosa al di là di un fiume senza motivo" era considerato un atto eroico.

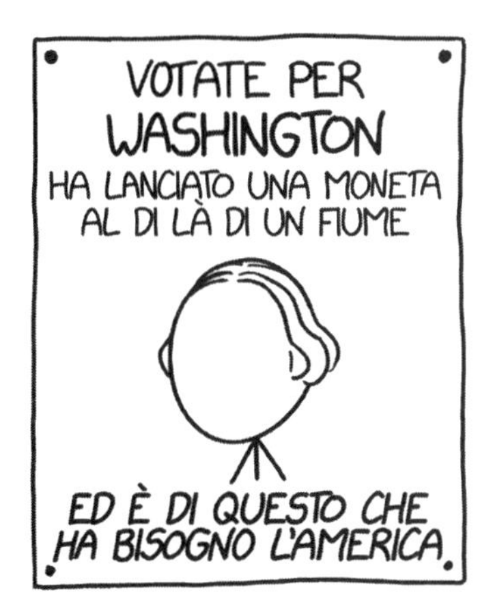

Non è chiaro perché gettare un dollaro d'argento al di là di un fiume sia una buona qualifica per diventare presidente, ma la gente ne sembrava colpita. È un peccato che la storia sia diventata popolare solo dopo la sua morte, perché altrimenti la propaganda elettorale ne avrebbe guadagnato.

Quali oggetti avrebbe potuto lanciare Washington? Al di là di quali fiumi? Come se la sarebbe cavata nel confronto con altri presidenti e non presidenti?

Vediamo una rappresentazione molto astratta di ciò che accade quando una persona lancia qualcosa:

1. La persona ha l'oggetto
2. ???
3. L'oggetto vola via

Curiosamente, anche senza sapere cosa succede al passo 2, riusciamo a formulare una buona stima della distanza a cui una persona può lanciare un oggetto, osservando i vincoli posti dalla fisica.

I corpi umani hanno dimensioni limitate. Qualunque cosa il lanciatore faccia al proiettile deve avvenire in una piccola regione di spazio attorno al suo corpo.

Per lanciare qualcosa, una persona la deve accelerare usando i muscoli; c'è un limite alla potenza muscolare che i corpi umani possono esercitare tutta insieme. In numerosi sport diversi, dal canottaggio al ciclismo all'atletica leggera, la potenza che i migliori atleti possono imprimere a un oggetto in un atto di breve durata – come una singola remata – di solito ammonta a circa 20 watt per kg di peso corporeo. Quindi un atleta che pesa 60 kg potrebbe avere 1200 watt di potenza disponibile per un lancio.

Supponiamo che l'atleta "lanci con tutto il corpo", trasferendo tutta questa potenza alla palla nel corso della breve distanza prima che lasci la presa:

Con queste ipotesi, possiamo usare le equazioni del moto sotto una potenza costante[1] per determinare la velocità finale della palla:

$$\text{velocità} = \sqrt[3]{\frac{3 \times \text{lunghezza movimento lancio} \times \text{massa corporea} \times \text{potenza}}{\text{massa della palla}}}$$

Se inseriamo il peso medio di un lanciatore della Major League Baseball (94,5 kg) e la massa di una palla da baseball (142 g) e assumiamo che il movimento di lancio copra un'estensione simile all'altezza del giocatore (1,88 m), dovremmo essere in grado di calcolare una stima molto approssimativa per la velocità di una palla dritta:

1 Nelle lezioni di fisica elementare si analizza in genere il moto sotto una forza costante e gli studenti vedono queste equazioni così spesso che le imparano a memoria. Le equazioni del moto sotto potenza costante, con esponenti e coefficienti diversi, sono un po' meno diffuse. Sono esposte in un articolo del 1930 di Lloyd W. Taylor dell'Oberlin College intitolato *The Laws of Motion Under Constant Power*.

$$\text{velocità} = \sqrt[3]{\frac{3 \times 1{,}88\ \text{m} \times 94{,}5\ \text{kg} \times 20\ \frac{\text{W}}{\text{kg}}}{0{,}142\ \text{kg}}} = 152\ \text{km/h}$$

152 km/h è quasi *esattamente* la velocità media per una dritta “quattro cuciture”! Non male per una formula che non sa nulla del lanciatore.

Se inseriamo i valori relativi a un quarterback e un pallone da football, otteniamo 109 km/h. È un po’ più veloce degli effettivi passaggi nel football americano, che vanno al massimo sui 95 km/h, ma non è troppo lontano.

$$\text{velocità} = \sqrt[3]{\frac{3 \times 1{,}91\ \text{m} \times 102\ \text{kg} \times 20\ \frac{\text{W}}{\text{kg}}}{0{,}425\ \text{kg}}} = 109\ \text{km/h}$$

Purtroppo, la precisione dei nostri risultati è probabilmente solo una coincidenza, poiché questo modello ha un problema.

Secondo la nostra equazione, una palla leggerissima si potrebbe lanciare a una velocità arbitrariamente elevata: una palla da baseball del peso di 15 grammi verrebbe scagliata a più di 300 km/h! In realtà un lanciatore non può fornire tutta la potenza alla palla, ma deve accelerare anche parti della mano e del braccio.

Per tenere conto del limite di velocità della mano, possiamo aggiungere un piccolo fattore di ritocco, modificando la formula in modo da aggiungere un po’ di peso alla palla – pari a 1/1000 del peso corporeo del giocatore – per rappresentare il peso della parte più veloce della mano. Ciò pone un limite superiore alla velocità di lancio per oggetti leggeri, il che è coerente con la realtà, senza distorcere troppo i risultati per oggetti più pesanti.[2]

Possiamo unire questa formula a una che dà la distanza approssimativa percorsa da un proiettile in aria,[3] in modo da ottenere una **teoria unificata delle persone che lanciano la roba proprio lontano**:

$$v = \sqrt[3]{\frac{3 \times \text{statura lanciatore} \times \text{peso lanciatore} \times \text{potenza erogata}}{\text{massa della palla} + \frac{\text{massa corporea}}{1000}}}$$

(Potenza erogata: 20 W/kg per un atleta allenato, 10 W/kg per un essere umano normale)

$$v_t = \sqrt[3]{\frac{2 \times \text{massa della palla} \times \text{gravità}}{\text{area della sezione} \times \text{densità dell'aria} \times \text{coefficiente resistenza aerodinamica}}}$$

2 Adesso la formula sottostima la velocità di lancio di un giocatore di baseball portandola a circa 130 km/h, ma per il resto fornisce risultati ragionevoli. La discrepanza si può forse spiegare con il fatto che i giocatori di baseball hanno un piccolo slancio in avanti, il che aggiunge una certa velocità iniziale e allunga lo spazio di lancio, ma il nostro è un modello molto semplice e non vogliamo allontanarcene cercando di spiegare o correggere ogni deviazione.

3 Questa formula si basa sulle approssimazioni tratte dall’articolo del 2017 *Approximate Analytical Investigation of Projectile Motion in a Medium with Quadratic Drag Force* di Peter Chudinov. Se il proiettile è denso o l’atmosfera è sottile, è equivalente all’usuale formula per la gittata di un oggetto lanciato a un angolo di 45° (gittata ≈ v^2/g), ma a velocità maggiori, quando la resistenza dell’aria è un fattore più rilevante, dà distanze inferiori.

$$\text{gittata} = \frac{v^2 \sqrt{2}}{\text{gravità} \sqrt{\frac{4}{5}\frac{v^4}{v_t^4} + 3\frac{v^2}{v_t^2} + 2}}$$

v = velocità di lancio, v_t *= velocità terminale*

Questo modello non è perfetto. È un insieme scomodo di equazioni, basato su poche variabili e su ipotesi estremamente semplici: quindi non può essere più di un'approssimazione. Potremmo renderlo molto più preciso inserendo un modello più specifico della meccanica del lancio o dati più precisi sui lanciatori. Ma se rendiamo il modello più specifico, lo potremo applicare solo ad ambiti più ristretti, mentre la cosa divertente è proprio quanto sia generale. Possiamo inserirci *qualsiasi cosa.*

Certo, possiamo usarlo per capire a che distanza un quarterback può lanciare un pallone da football. Nella NFL i passaggi più lunghi tendono a volare per qualcosa come 55 m e la nostra equazione produce un risultato piuttosto vicino.

(Quarterback della NFL, pallone da football) → 67 m

Ma possiamo usarlo per calcolare a che distanza un quarterback può lanciare *altri* oggetti. Proviamo con un frullatore Vitamix 750 pesante 5,2 kg:

(Quarterback della NFL, frullatore da 5,2 kg) → 16,5 m

Ci serve solo un'idea approssimativa del peso, della forma e del coefficiente di resistenza aerodinamica del frullatore.

E non dobbiamo neppure limitarci ai quarterback; possiamo inserire qualunque essere umano di cui sappiamo stimare la statura e il peso.

(Ex presidente Barack Obama, giavellotto olimpico) → 29,5 m

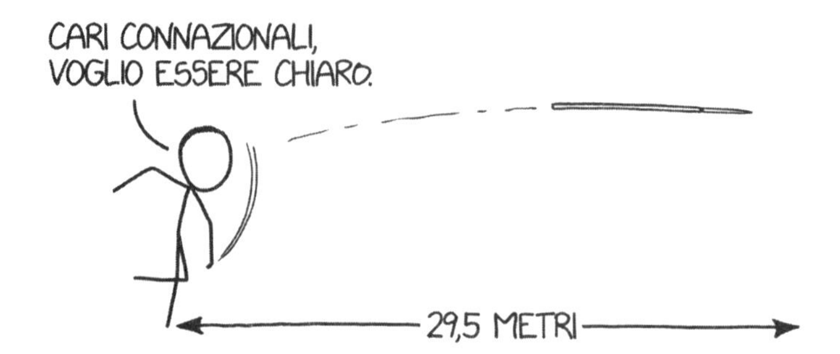

(Cantante Carly Rae Jepsen, forno a microonde) → 3,6 m

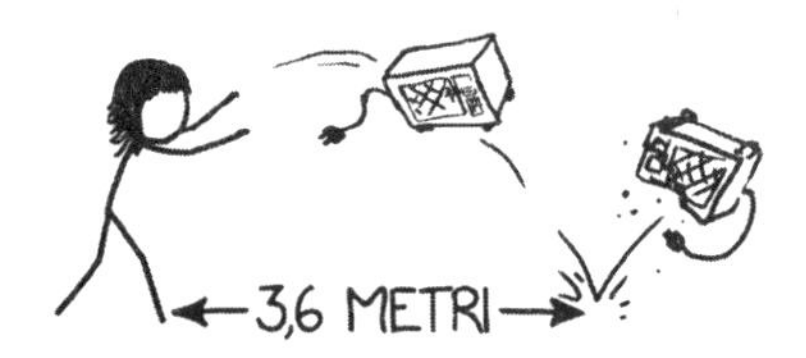

Potete giocare con un programma che fa questi calcoli all'indirizzo *xkcd.com/throw*.

Usando questa formula, insieme alla vostra statura, peso e forma fisica, potete valutare a che distanza lancereste vari oggetti.

IL LANCIO DI WASHINGTON

Che cosa dice il nostro modello sull'impresa di George Washington con il dollaro d'argento?

Washington era notoriamente atletico e gli piaceva gettare le cose – si narra che lanciò un sasso sopra il Natural Bridge in Virginia dal fiume sottostante – e quindi gli assegniamo un rapporto di potenza di 15 W/kg, a metà strada tra una persona normale e un atleta d'élite in pieno allenamento.

Il coefficiente di resistenza di un dollaro d'argento varia a seconda di come viene lanciato. Se ruota attorno a un diametro ha un coefficiente di resistenza molto maggiore, mentre se gira come un frisbee, vola in modo più efficiente.

(George Washington, dollaro d'argento [rotante attorno a un diametro]) → 53,5 m
(George Washington, dollaro d'argento [rotante come un frisbee]) → 142,5 m

Il fiume Rappahannock è largo neppure 115 m nel punto in cui si dice che Washington abbia lanciato la moneta. Ruotandola nel modo giusto, ce l'avrebbe potuta fare! (Il Potomac, largo più di mezzo chilometro, è troppo largo.) E, a confermarlo, molte persone sono riuscite a riprodurre questo lancio. Nel 1936 l'ex giocatore di baseball Walter Johnson, lanciatore non più in attività, scagliò con successo un dollaro d'argento per circa 118 m al di là del Rappahannock. Il giorno prima, il prima base Lou Gehrig scagliò un dollaro d'argento al di là di un tratto dell'Hudson largo più di 120 m.

Il nostro modello è solo un'approssimazione. Ma i risultati che dà non sembrano troppo lontani dalla realtà, ed è straordinario che possiamo ottenere risposte anche solo vagamente realistiche su un'azione fisica complessa come "lanciare qualcosa" usando così pochi elementi di fisica elementare.

O per lo meno, le risposte sono realistiche in un certo senso, anche se non in altri.

(Carly Rae Jepsen, George Washington) → 90 cm

CAPITOLO 11

Come giocare a football

Ci sono svariati giochi che si chiamano "football" o "calcio", connessi in un complicato albero genealogico.

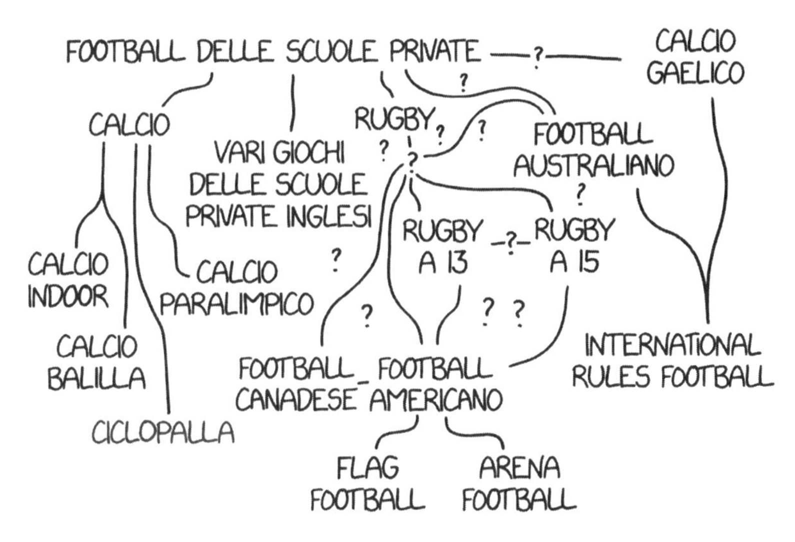

Se non siete sicuri a quale versione state giocando potete provare a chiederlo agli altri giocatori oppure guardate che cosa fa la gente e intuitelo dal contesto.

Se volete provare a segnare un punto, ma non pensate di poter lanciare la palla da dove vi trovate, dovrete portarcela di persona.

PORTARE LA PALLA DI PERSONA

Considerando solo la distanza, camminare verso la porta avversaria con la palla dovrebbe richiedere un minuto o giù di lì, e anche meno se vi va di correre:

Ma attenzione: è possibile che gli altri giocatori non cooperino, in particolare quelli della squadra avversaria.

L'altra squadra può provare a mettere i giocatori tra voi e la porta per impedirvi di raggiungerla. A meno che non siate molto più grandi e più forti degli altri giocatori, sarà un problema; sfortunatamente per voi, la maggior parte delle squadre di football sono composte da persone grandi e forti. Potete provare ad aggirarli correndo, ma è più difficile di quanto sembri: questi signori sono piuttosto veloci, sanno che a volte la gente prova a fare trucchetti del genere e non si fanno cogliere impreparati.

Se un'altra squadra cerca di impedirvi di raggiungere l'obiettivo, correre più veloci non aiuta. I giocatori pesano quanto voi e ce ne sono molti: riusciranno ad assorbire quasi tutto il vostro slancio. Ci vorrebbe un'enorme quantità di energia per passarci attraverso.

Per superare un muro di giocatori avversari potete cercare di aumentare il vostro peso, velocità e potenza.

Una persona su un cavallo molto grande ha un peso complessivo pari circa a quello di una squadra di football americano, e l'alta velocità del cavallo darebbe un vantaggio in termini di quantità di moto, rendendo più semplice avanzare attraverso la squadra avversaria.

Il regolamento ufficiale del calcio emanato dalla FIFA non contiene la parola "cavallo",[1] quindi potreste provare un'argomentazione *à la Air Bud – Campione a quattro zampe*: nel testo non c'è alcuna regola che dice che non si possa usare un cavallo nel calcio. Ci sono regole sull'*equipaggiamento*, ma un cavallo non è un equipaggiamento, è un cavallo.

Gli arbitri potrebbero non trovare convincente la vostra argomentazione. Se entrate in campo a cavallo, è facile che provino a fermarvi. Gli arbitri sono in genere più piccoli dei giocatori e non ce ne sono tanti, ma comunque si aggiungono al mucchio di persone da attraversare per raggiungere la porta. Per giunta potrebbero decidere che il punto che segnate non conta, ma probabilmente ci avrete già messo una pietra sopra.

Un cavallo è molto più grande di una persona e può certamente abbatterne varie. Un gruppo numeroso di persone, però, potrebbe presentare un ostacolo eccessivo anche per un grosso cavallo.

Nella battaglia al culmine della trilogia cinematografica *Il Signore degli Anelli* si vedono cavalli lanciarsi attraverso un mare apparentemente infinito di orchi e abbatterli strada facendo. Sarebbe possibile per un cavallo riuscirci senza perdere velocità?

Si dà il caso che sia possibile rispondere a questa domanda usando le formule sulla resistenza dell'aria, ma usando gli orchi al posto dell'aria.

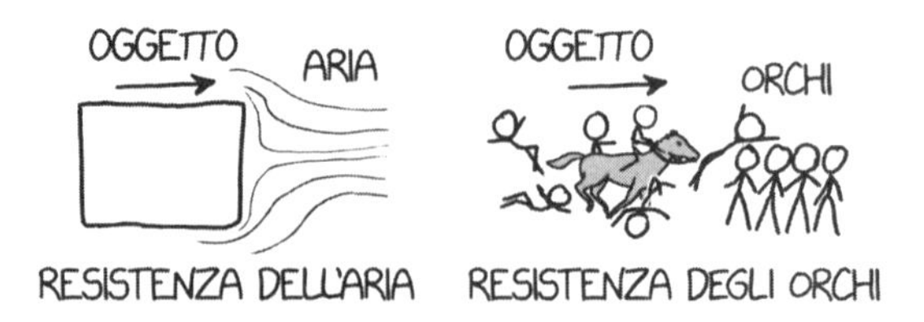

1 Per quanto riguarda il football americano, invece, le regole della National Football League in realtà contengono la parola *horse* ("cavallo"), ma solo in riferimento a una tecnica chiamata *horse-collar tackle*.

La formula di base per il calcolo della resistenza dell'aria è:

$$\text{resistenza} = \frac{1}{2} \times \text{coefficiente resistenza aerodinamica} \times \text{densità aria} \times \text{area frontale} \times \text{velocità}^2$$

Quando un oggetto vola in aria, si imbatte nelle molecole che la compongono e ci si deve fare strada in mezzo. In un certo senso, possiamo vedere la formula per la resistenza dell'aria come una rappresentazione della massa totale attraverso la quale il proiettile deve muoversi e della quantità di moto posseduta da questa aria:

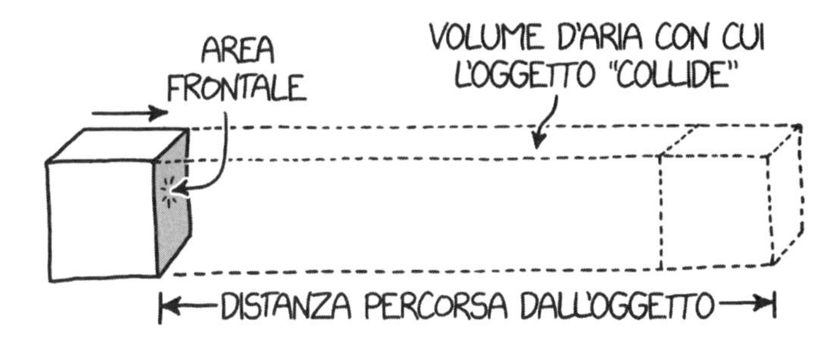

Le parti principali della formula per la resistenza si possono ricavare da questo diagramma. Quando un oggetto va più veloce, collide con più molecole d'aria ogni secondo *e al contempo* queste molecole si muovono più velocemente rispetto all'oggetto, motivo per cui la velocità è elevata al quadrato. Se la velocità di un oggetto raddoppia, colpirà ogni secondo una quantità doppia di aria *e* questa andrà a velocità doppia, quindi la spinta esercitata ogni secondo dall'aria – la resistenza – aumenta di un fattore 4.[2]

Possiamo usare questa formula per calcolare la potenza necessaria a un oggetto per superare questa resistenza mantenendo la stessa velocità. L'energia è una forza moltiplicata per una distanza e la potenza è un'energia divisa per un'unità di tempo, quindi la potenza che l'oggetto deve esercitare è uguale alla forza di resistenza per la distanza percorsa ogni secondo. Poiché la distanza al secondo è la velocità, la potenza è uguale alla resistenza moltiplicata per la velocità. Abbiamo già moltiplicato due volte per la velocità per ottenere la forza di resistenza; ora dobbiamo moltiplicare *nuovamente* per la velocità:

$$\text{potenza} = \frac{1}{2} \times \text{coefficiente resistenza} \times \text{densità aria} \times \text{area frontale} \times \text{velocità}^3$$

2 Se avete seguito qualche lezione di fisica e fissate la formula abbastanza a lungo, potreste iniziare a chiedervi che cosa ci faccia nella formula il fattore ½. Poiché il coefficiente di resistenza aerodinamica è un fattore arbitrario adimensionale, ½ si potrebbe semplicemente eliminare raddoppiando tutti i coefficienti di resistenza. Il fisico dello sport John Eric Goff ha sottolineato che se si ricava l'equazione pensando alla quantità di moto trasportata dalle molecole d'aria in arrivo, un fattore 1 – o forse 2 – sembra più naturale di ½. Tuttavia, se pensiamo alla resistenza in termini di energia cinetica dell'aria in arrivo, ha più senso mantenere il fattore ½ della formula per l'energia cinetica. I fisici tendono a spiegarlo così – dicendo che la formula per la resistenza rappresenta la "pressione dinamica" dell'aria in arrivo – ma non tutti gli autori concordano. Il testo *Fluid Mechanics* di Frank White definisce il fattore ½ semplicemente un "omaggio tradizionale a Eulero e Bernoulli".

Quell'esponente "3" ci dice che quando un oggetto va più veloce, la potenza che deve esercitare per superare la resistenza aumenta molto rapidamente.

Curiosamente, possiamo usare questo stesso approccio per stimare quanta energia deve esercitare un cavallo per fendere una folla di orchi, trattando gli orchi come un gas uniforme con molecole molto grandi.

Adattando la formula alla geometria cavalli-orchi otteniamo questa relazione che ci dà la potenza:[3]

$$\text{potenza} = \text{densità della folla degli orchi} \times \text{peso orchi} \times \text{larghezza torace cavallo} \times \text{velocità}^3$$

Nota: Abbiamo eliminato il fattore ½ e il coefficiente di resistenza. Per un "gas" costituito da singole molecole non interagenti che rimbalzano sulla parte anteriore di un oggetto curvo mentre si muove, il coefficiente di resistenza ha un valore intorno a 2.

Nel film gli orchi stanno in piedi, con una densità di qualcosa come 1 orco per metro quadrato. Se assumiamo che ogni orco pesi 90 kg, che il cavallo abbia un torso largo 80 cm e galoppi a 40 km/h, troviamo:

$$\frac{1\text{ orco}}{\text{m}^2} \times \frac{90\text{ kg}}{\text{orco}} \times 80\text{ cm} \times (40\text{ km/h})^3 = 99\text{ chilowatt}$$

Un cavallo può erogare per un certo tempo una potenza di quasi 100 chilowatt? Per saperlo, dovremmo conoscere la potenza erogata continuativamente da un cavallo. Per nostra fortuna esiste già un'unità di misura adatta: il cavallo-vapore. Basta quindi una semplice conversione di unità:

$$99\text{ chilowatt} \approx 134\text{ cavalli-vapore}$$

Più di 130 cavalli è troppo per un cavallo. Per un breve periodo un cavallo può sviluppare più di 1 cavallo-vapore – questa unità di misura è definita dal lavoro compiuto su un periodo prolungato – ma la potenza massima a breve termine di un cavallo è dell'ordine dei 10 o 20 cavalli-vapore, ben lontano dai 130 necessari per l'impresa che si vede nel film. Possiamo ridurre la potenza necessaria per travolgere la folla di orchi se ci limitiamo a far trottare il cavallo.

---

3 Questa equazione sulla resistenza ai cavalli non ha un nome abituale in fisica, e onestamente sarebbe un po' strano se ce l'avesse.

La formula della resistenza degli orchi si applica anche a giocatori di football, arbitri e qualsiasi altra orda di nemici che vogliate caricare a cavallo. Se avete intenzione di passare a cavallo attraverso una folla di giocatori, dovrete rallentare, il che darà però ai vostri avversari la possibilità di attendervi a piè fermo, arrampicarsi sul cavallo per sovraccaricarlo o afferrarvi per le gambe e tirarvi giù dalla sella per potervi poi placcare in modo tradizionale a terra.

Come ogni trucco, la trovata del cavallo perde efficacia se la parte avversaria ha la possibilità di prepararsi. Una volta che i giocatori avversari subodorano il vostro piano, saranno in grado di prepararsi con misure difensive anticavallo, come lunghe lance piantate a terra, trincee scavate in mezzo al campo o prelibatezze disposte strategicamente per distrarre la vostra cavalcatura.

Ma se in campo ci sono solo pochi giocatori e puntate verso un'apertura nella loro linea difensiva, ce la potete anche fare con poche collisioni. Nessun corridore umano può raggiungere un cavallo al galoppo, quindi una volta superati i difensori la strada fino alla meta sarà sgombra.

CAPITOLO 12

Come prevedere il tempo

Che tempo farà domani?

C'è un vecchio detto che si ripete spesso: "Se non ti piace che tempo fa a [inserire qui la località], basta che aspetti 5 minuti." Come ogni frase arguta, di solito la si attribuisce a Mark Twain. In questo caso, probabilmente la disse effettivamente lui, ma se venisse fuori che non è sua attribuitela tranquillamente a Dorothy Parker o a Oscar Wilde.

La gente ripete questa citazione quasi ovunque nelle zone temperate, perché il tempo cambia di continuo e, per qualche motivo, ne rimaniamo costantemente sorpresi.[1] Questi cambiamenti possono essere difficili da prevedere, ma poiché tutti noi li dobbiamo affrontare – siamo intrappolati tutti insieme sul fondo di questa atmosfera – ci proviamo lo stesso.

Esistono numerosi modi per prevedere il tempo, alcuni migliori degli altri. Le migliori previsioni meteorologiche moderne fanno uso di sofisticati modelli informatici, ma partiamo da una tecnica elementare, dotata di una lunga tradizione: *tirare a indovinare*.

PREVISIONI PER I PROSSIMI 5 GIORNI
TEMPERATURE E VENTI

LUN	MAR	MER	GIO	VEN
-15°C	-35°C	22°C	82°C	-17°C
10 KM/H	3 KM/H	777 KM/H	5 KM/H	24 KM/H

1 Noi esseri umani siamo bravi a farci sorprendere dai cambiamenti prevedibili. Ogni volta che vedo un amico che ha un bambino piccolo, sento il bisogno di commentare: "Come sei cresciuto dall'ultima volta che ti ho visto!" Evidentemente una parte di me si aspetta che nel corso del tempo i bambini rimangano delle stesse dimensioni o si rimpiccioliscano.

Questo metodo non funziona molto bene.

Un metodo lievemente migliore consiste nell'inventarsi delle previsioni osservando le condizioni meteorologiche medie per quel luogo in quel periodo dell'anno. Si chiama *previsione climatologica*.

In luoghi in cui le condizioni del tempo non cambiano molto, come ai tropici, è un metodo abbastanza buono. Per esempio, la massima media a Honolulu, nelle Hawaii, a metà luglio è di 31 °C e quindi la possiamo usare per formulare una previsione per il prossimo luglio:

Ecco le temperature effettivamente registrate alle Hawaii in quei giorni in un anno recente, il 2017, tratte dal portale Weather Underground:

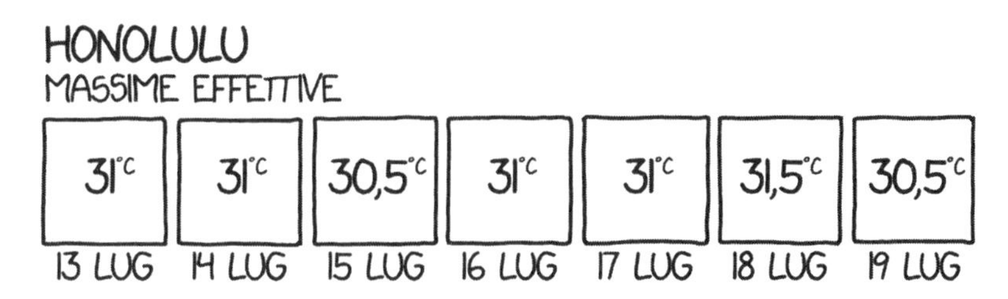

Splendido! La nostra "previsione" regge bene. Abbiamo azzeccato la temperatura con precisione in quattro dei sette giorni e non ci siamo mai allontanati di più di mezzo grado. Ci attende un futuro di fama e ricchezze come meteorologi.

Adesso prendiamo questo metodo strepitoso e applichiamolo a Saint Louis, nel Missouri, a settembre. La massima media a metà settembre è di 26 °C, che usiamo quindi per formulare le nostre previsioni:

Ecco la temperatura effettiva in quei giorni nel 2017:

Oibò, non ci siamo andati nemmeno vicino.

Le previsioni basate sulle medie funzionano meglio ai tropici perché le condizioni del tempo sono meno variabili. Nelle zone temperate, in cui si trova Saint Louis,[2] le condizioni meteorologiche sono dominate dal movimento di grandi sistemi lenti di alta e bassa pressione, che possono causare ondate di calore, bruschi cali della temperatura e molte lamentele.

2 Al momento in cui scriviamo.

Nel complesso, tirare a indovinare basandosi sulle medie sembra una cattiva strategia, ma prima di passare a quelle buone, ce n'è un'altra cattiva che potremmo prendere in considerazione: guardare che tempo fa in questo momento e supporre che non cambierà mai.

Sembra una sciocchezza, perché il tempo cambia in continuazione, ma non cambia poi *tanto* velocemente. Se in questo momento piove, è molto probabile che piova anche fra 30 secondi. Se in questo momento è insolitamente caldo, c'è una buona possibilità che lo sia ancora tra un'ora. Possiamo usare questo principio per formulare una previsione: basta guardare le condizioni del tempo in questo momento e questa è la nostra previsione. Si chiama *legge della persistenza.*

Su intervalli di tempo molto brevi le previsioni basate sulla persistenza funzionano meglio di quelle basate sulle medie mentre su intervalli di tempo molto lunghi, funzionano meglio le medie. In alcune parti del mondo, dove le condizioni meteorologiche tendono a rimanere uguali per vari giorni, le previsioni basate sulla persistenza sono più utili; altrove, il tempo di un giorno non ha quasi niente a che fare con quello del giorno successivo. In queste zone va meglio una previsione basata sulle medie.

COMPUTER

Negli anni successivi alla seconda guerra mondiale, agli albori dell'era dei computer, il matematico John von Neumann lanciò un progetto per usare i calcolatori per le previsioni meteorologiche. Nel 1956 era giunto alla conclusione che le previsioni si potevano suddividere in tre categorie: il breve, il medio e il lungo termine. Aveva capito correttamente che gli approcci necessari nei tre casi dovevano essere molto diversi e che la categoria centrale – il medio termine – sarebbe stata la più difficile.

Il breve termine copre poche ore o giorni. Qui prevedere il tempo è solo questione di ottenere dati a sufficienza e poi farci un sacco di conti. L'atmosfera funziona secondo leggi fluidodinamiche che comprendiamo relativamente bene. Se riusciamo a misurare lo stato attuale dell'atmosfera, possiamo eseguire una simulazione che mostra come si evolverà. Queste simulazioni ci forniscono previsioni piuttosto buone per qualche giorno.

Possiamo migliorare queste previsioni raccogliendo maggiori informazioni sullo stato dell'atmosfera, mettendo insieme i dati ottenuti dai palloni meteorologici, dalle centraline, dagli aerei e dalle boe oceaniche. Possiamo anche migliorare le simulazioni, usando più potenza di calcolo per farle girare a una risoluzione sempre più elevata.

Ma quando proviamo a estendere la previsione su un intervallo di alcune settimane incontriamo un problema.

Nel 1961 Edward Lorenz, lavorando sulle previsioni meteorologiche al computer, notò che quando faceva girare due versioni di una simulazione che differivano di un valore minuscolo – come per esempio variare la temperatura in una certa posizione da 10 °C a 10,001 °C – il risultato veniva completamente diverso. All'inizio la differenza non è evidente, ma la piccola discrepanza aumenta gradualmente e si diffonde in tutto il sistema. Alla fine i due sistemi non hanno più niente in comune l'uno con l'altro su larga scala. Per questo fenomeno coniò il termine *effetto farfalla*, in base all'idea che una farfalla che batte le ali da qualche parte potrebbe a un certo punto modificare il corso dei temporali dalla parte opposta del pianeta. Questa idea si è poi sviluppata nella teoria del caos.[3]

Dato che le condizioni atmosferiche sono un sistema caotico, le previsioni a medio termine – che tempo farà tra un mese o tra un anno – sono forse fondamentalmente inconoscibili. Abbiamo scoperto alcuni cicli lenti che guidano i cambiamenti stagionali, come El Niño e l'Oscillazione pacifica decadale, che ci danno indizi sulle caratteristiche generali della prossima stagione. Ma chi sa se il 1° maggio sarà mai possibile prevedere se il 1° ottobre pioverà.

Il dominio a lungo termine copre intervalli di tempo che vanno dai decenni ai secoli e consiste nelle previsioni dei cambiamenti climatici. Su orizzonti così lunghi, delle caotiche variazioni giornaliere rimangono solo i valori medi e il clima è dominato dall'energia in entrata e in uscita sul lungo termine. Probabilmente non sarà mai possibile fare previsioni climatiche perfette, dal momento che il caos alla base del tutto rischia sempre di metterci lo zampino, ma possiamo dire con una certa sicurezza come cambieranno le cose, in media. Se la quantità di luce solare che entra nell'atmosfera aumenta, aumenta anche la temperatura media. Se la quantità di CO_2 nell'atmosfera diminuisce, una maggior quantità di radiazione infrarossa si allontana dalla superficie e la temperatura scende. Sono in gioco complicati circuiti di feedback di vario tipo, alcuni dei quali non comprendiamo ancora appieno, ma il comportamento di base del sistema è in linea di principio prevedibile.

Ecco quindi a che punto siamo con i nostri tre ambiti:

- **Breve termine:** completamente prevedibile, con simulazioni al computer sufficientemente buone
- **Lungo termine:** difficile da prevedere con certezza, ma possibile in media
- **Medio termine:** può essere letteralmente impossibile

Un tempo la gente non faceva altro che lamentarsi delle previsioni meteorologiche sbagliate. Lo fa ancora, ovviamente, ma forse le lamentele sono un po' meno comuni di una volta. Man mano che miglioriamo le simulazioni informatiche e la raccolta dei dati, le previsioni a breve termine – quelle che compongono le condizioni previste per i prossimi cinque giorni – stanno diventando sempre più accurate. Nel 2015 le previsioni a cinque giorni erano accurate quanto quelle a tre giorni nel 1995. A metà del XX secolo le previsioni per più di due o tre giorni dopo non erano migliori di quelle che si potevano ottenere con semplici metodi basati sulla persistenza, che non hanno bisogno di alcun computer. Adesso i nostri migliori modelli informatici formulano previsioni meteorologiche che sopravanzano quei metodi semplici per un lasso di tempo di nove o dieci giorni.

---

3 E, secondo *Jurassic Park*, in qualche modo ha portato alla creazione di un gruppo di dinosauri antropofagi.

In generale, nell'ultimo mezzo secolo le previsioni meteorologiche sono migliorate a un ritmo di un giorno al decennio, che equivale a circa un secondo all'ora.[4] Calcoli di natura fisica fanno ritenere che il limite fondamentale delle previsioni basate sulla simulazione è probabilmente dell'ordine di un paio di settimane. Dopo due o tre settimane l'intrinseca natura caotica del sistema rende impossibile prevederlo.

Ma non dovete per forza avere accesso a un supercomputer per prevedere il tempo.

ROSSO DI SERA

Secondo la tradizione popolare, è possibile prevedere il tempo in base al colore del cielo. Una formulazione tipica è: "Rosso di sera, bel tempo si spera. Rosso di mattina, la pioggia si avvicina."

Questo modo di dire gira, in varie forme, da molto tempo; ne esiste una versione anche nella Bibbia.[5] Il motivo per cui è così longevo è che funziona veramente, almeno in alcune parti del mondo. Il metodo del "cielo rosso" non ha molto a che fare con le nuvole rosse di per sé, come si potrebbe pensare; è invece un modo per usare il Sole per fare una radiografia dell'atmosfera sopra l'orizzonte e le nuvole sopra di noi come schermo su cui proiettare i risultati!

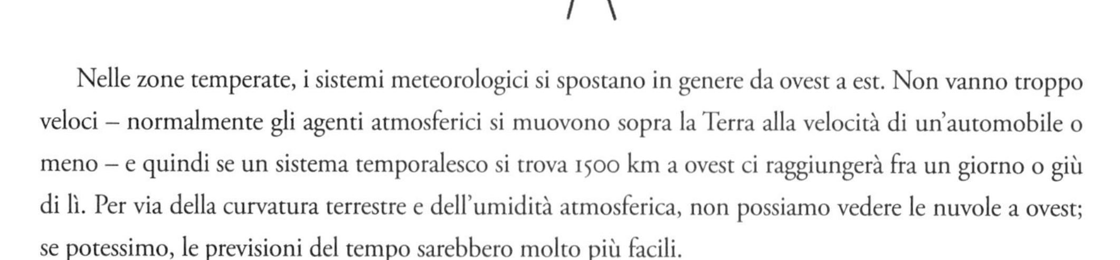

Nelle zone temperate, i sistemi meteorologici si spostano in genere da ovest a est. Non vanno troppo veloci – normalmente gli agenti atmosferici si muovono sopra la Terra alla velocità di un'automobile o meno – e quindi se un sistema temporalesco si trova 1500 km a ovest ci raggiungerà fra un giorno o giù di lì. Per via della curvatura terrestre e dell'umidità atmosferica, non possiamo vedere le nuvole a ovest; se potessimo, le previsioni del tempo sarebbero molto più facili.

Il trucco del "cielo rosso" aggira questo problema usando il Sole. Le lunghezze d'onda rosse attraversano l'aria più facilmente di quelle azzurre. Quando il Sole tramonta a ovest, la sua luce attraversa centinaia di chilometri di atmosfera – facendosi nel frattempo estremamente rossa – prima di colpire le nuvole che si trovano sopra di noi. Le lunghezze d'onda azzurre, più corte, rimbalzano nell'aria e

4 Se volete far innervosire un fisico, ditegli che l'unità del Sistema internazionale per "secondi all'ora" è "radianti".

5 "Quando si fa sera, voi dite: Bel tempo, perché il cielo rosseggia; e al mattino: Oggi burrasca, perché il cielo è rosso cupo." (Matteo 16:2-3)

vanno in altre direzioni. Per questo il cielo è azzurro: riflette la luce azzurra. Le nuvole bianche riflettono tutti i colori: così, quando vengono colpite dalla luce rossa, diventano anch'esse rosse.

Se ci sono nuvole temporalesche a ovest di dove ci troviamo, la luce solare rossa viene fermata prima di poter arrivare da noi e il tramonto non è particolarmente rosso:

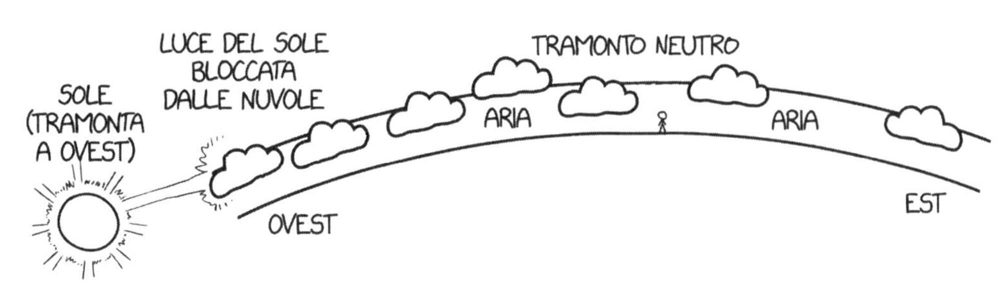

D'altra parte, se c'è aria limpida per centinaia di chilometri a est, la luce del Sole arriva senza impedimenti fino al cielo sopra di noi, diventando rossa. Se in cielo ci sono nuvole, la luce rossa le illumina creando un'alba spettacolare.

Come andare nei posti

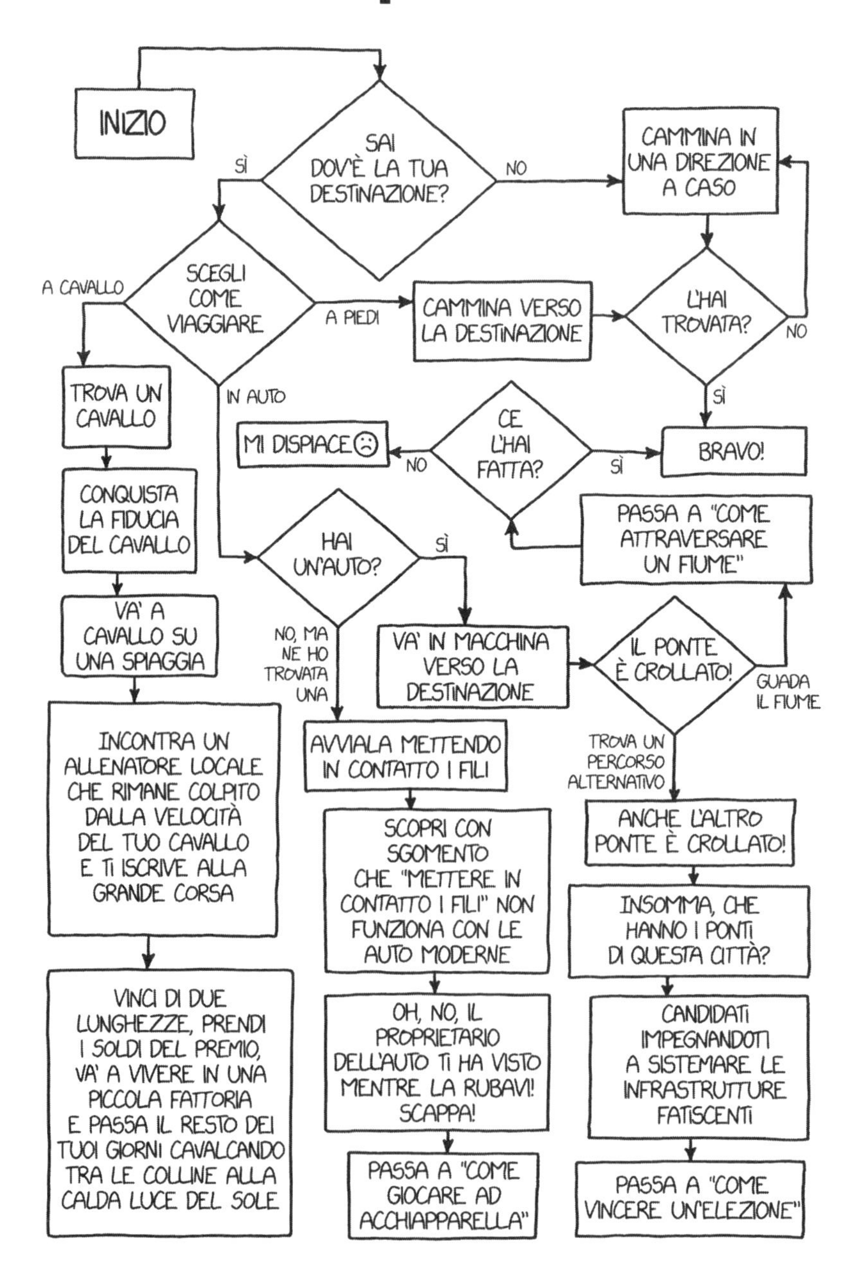

CAPITOLO 13

Come giocare ad acchiapparella

Le regole dell'acchiapparella sono semplici: un giocatore "sta sotto" e cerca di raggiungere e toccarne un altro. Se ci riesce, è il nuovo giocatore che sta sotto.

Ci sono innumerevoli variazioni sulle regole di base dell'acchiapparella – esiste persino una lega chiamata World Chase Tag che organizza gare di una variante simile al parkour in cui gli atleti si rincorrono mentre saltano e volteggiano sugli ostacoli – ma la versione standard, da parco giochi, dell'acchiapparella ha pochissime regole specifiche. Non richiede punteggi, reti, attrezzature o un'area di gioco specifica, e in genere neppure una conclusione ben definita. Non si può vincere ad acchiapparella: si può solo smettere di giocare.

In teoria, in una partita idealizzata di acchiapparella, in cui alcuni giocatori sono più veloci di altri e tutti corrono alla massima velocità, l'azione dovrebbe a un certo punto raggiungere un equilibrio naturale. Se la persona che sta sotto non è il giocatore più lento, ne prenderà uno più lento, e così sarà questo a rincorrere. Alla fine starà sotto il giocatore più lento, che non sarà in grado di catturare e cedere il ruolo a un altro giocatore e starà sotto per sempre.

Bolt, per evitare di essere raggiunto, comincerebbe a correre. All'inizio avrebbe un bel vantaggio; la sua abilità di velocista gli permette di distanziare rapidamente il più lento El Guerrouj. A 30 secondi dall'inizio della partita, quando Bolt ha superato i 300 m, sarebbe 70 m davanti al suo inseguitore.

Dopo 30 secondi, però, il divario tra loro inizierebbe a colmarsi. A poco più di 90 secondi dall'inizio del gioco, poco prima di percorrere 700 m, El Guerrouj avrebbe raggiunto Bolt, costringendolo a stare sotto.

Bolt, sfinito, proverebbe a inseguirlo, ma non sarebbe in grado di raggiungerlo.

A meno che non siate voi stessi un campione di maratona, i buoni fondisti avranno un enorme vantaggio su di voi se giocate a rincorrervi. Che siate Usain Bolt, Uwe Boll,[2] Ugo Boncompagni,[3] o un'*Usnea barbata*,[4] non sarete in grado di raggiungere un maratoneta una volta che è lanciato.

Se vi trovate nei panni di Bolt, di fronte a qualcuno con grandi abilità di fondista siete condannati a stare sotto per sempre?

Può darsi.

2 Un regista horror.

3 Il nome al secolo di papa Gregorio XIII.

4 Una specie di lichene.

COME RAGGIUNGERE UN FONDISTA

Se non riuscite a raggiungere un corridore correndo, potete provare l'opzione più efficiente: camminare.

La camminata è più lenta della corsa, ma è di gran lunga più efficiente dal punto di vista energetico: richiede meno ossigeno e meno calorie per chilometro. Per questo una persona in buona salute farà forse fatica a correre un miglio, ma è in grado di camminare per varie ore senza particolari difficoltà. La corsa è molto più esigente nei confronti del sistema aerobico; se il corpo non riesce a mantenere il passo con queste richieste, non può continuare a correre. I corridori su lunga distanza imparano a correre in modi che sprecano meno energia possibile, ma si allenano anche per condizionare il loro sistema cardiovascolare a fornire energia a un ritmo che può soddisfare le esigenze di una corsa prolungata.

In genere gli escursionisti percorrono i 3500 km del sentiero degli Appalachi in 5-7 mesi. Il limite inferiore corrisponde a un ritmo di poco meno di 24 km al giorno, e quindi supponiamo che siate in grado di mantenere un ritmo di 24 km al giorno indefinitamente.

L'ultramaratoneta Yiannis Kouros una volta corse 290 km nel corso di 24 ore. Se inseguite Kouros con un passo da escursionista, può trascorrere il primo giorno a correre 150 km per allontanarsi da voi; poi può riposare per quasi una settimana mentre lo raggiungete. Quando finalmente vi state avvicinando, può ripartire e correre per altri 150 km.

Se Kouros desidera vivere una vita normale – ma è deciso a non stare mai sotto ad acchiapparella – può comprare due o tre case distanti l'una dall'altra circa 150 km. Quando vi avvicinate a una delle case, può correre verso la successiva. Così si può riposare qualche giorno in ogni casa prima che voi lo raggiungiate e lo costringiate a fuggire nella casa successiva.

C'è da sperare che anche gli eventuali membri della sua famiglia siano maratoneti, altrimenti dovrà fare molta più fatica per non farsi raggiungere.

COME *SFUGGIRE* A UN MARATONETA

Se riuscite finalmente a sorprendere Kouros mentre è distratto e così a farlo stare sotto, avete un nuovo problema: vi raggiungerà immediatamente. Certamente non sarete in grado di seminarlo.

Se non riuscite a vincere seguendo le regole, magari le potete forzare un pochino. Diciamo che prendete un monopattino magico, che vi permette di "correre" alla velocità che desiderate, e provate subito a usarlo con Kouros.

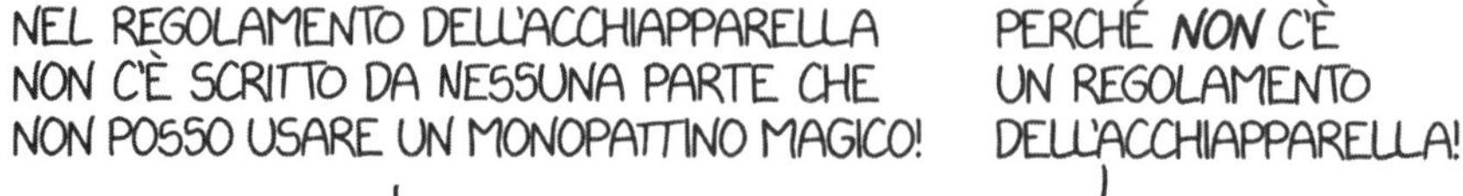

Poniamo che Kouros, una volta costretto a inseguirvi, rifiuti di abbassarsi al vostro livello e insista per inseguirvi alla vecchia maniera. Per quanto vi allontaniate, vi inseguirà, ma se riuscite ad andare molto lontano potete concedervi un mucchio di tempo per riposarvi e rifocillarvi.

Usiamo le indicazioni di Google relative ai percorsi a piedi per cercare i due punti sulla Terra con la massima distanza tra loro. Questi punti cambiano nel tempo, man mano che Google aggiorna i suoi dati cartografici, ma l'artista scientifico Martin Krzywinski ne ha raccolto un elenco. Un candidato promettente è un viaggio da Quoin Point, in Sudafrica, a Magadan, una città sulla costa orientale della Russia.

Questo percorso è lungo circa 22.500 km. Attraversa 16 paesi, richiede l'attraversamento di numerosi fiumi e canali,[5] e di una venticinquina di frontiere. Complessivamente l'itinerario a piedi comprende circa 2000 istruzioni.

Il percorso non è esattamente pianeggiante – oltre un centinaio di chilometri di dislivello totale – e passa per praticamente ogni zona climatica, dalla foresta pluviale tropicale al deserto rovente, fino alla

5 A seconda delle chiusure stradali e delle procedure di frontiera, potrebbe essere necessario prendere un traghetto sul lago di Nubia/lago Nasser per attraversare il confine tra Egitto e Sudan.

sante da superare. Per raggiungere una velocità maggiore basta semplicemente trovare una pendenza più lunga e più ripida.

Continuando così, lo sci gradualmente si trasforma in paracadutismo, ma una versione più pericolosa, poiché invece di cadere in aria, i praticanti rasentano il terreno. È molto difficile evitare gli ostacoli quando si scia a 250 km/h, e anche se si trova quella che pare una pendenza regolare, una lieve protuberanza o una leggera curva potrebbero essere immediatamente fatali.

Quando le prestazioni di un concorrente in uno sport sono fortemente correlate con le sue probabilità di morire, quello sport ha qualche problema. Lo sci di velocità fece una breve comparsa alle Olimpiadi invernali del 1992 ma, dopo una serie di incidenti mortali, è stato per lo più abbandonato a livello agonistico.

QUANDO RAGGIUNGETE IL FONDO

Se sciate giù per un pendio, alla fine raggiungerete un punto in cui non potrete più andare avanti, per vari possibili motivi:

- ci sono alberi, rocce o colline sulla vostra strada;
- avete raggiunto il fondo della montagna;
- non c'è più neve.

Se vi state divertendo e non volete smettere di sciare, avete varie possibilità.

Se ci sono alberi sulla strada, potete provare a rimuoverli; per ulteriori informazioni su come svolgere questa operazione, andate al capitolo 25: "Come decorare un albero". Se ci sono rocce sulla strada, potete consultare il capitolo 10 "Come lanciare le cose", per capire se siete in grado di spostarle. Se avete raggiunto il fondo della montagna, potete provare a continuare ad accelerare in avanti; ci sono consigli utili nel capitolo 26, "Come arrivare velocemente da qualche parte", o nel capitolo 13, "Come giocare ad acchiapparella". Se volete continuare la discesa anche se è finita la pendenza, andate al capitolo 3: "Come scavare una buca".

Se avete finito la neve, continuate a leggere.

CHE COSA FARE SE AVETE FINITO LA NEVE

Da quello che abbiamo visto sull'attrito, sappiamo che gli sci non funzionano molto bene sulla maggior parte delle superfici non innevate. Ci sono alcune piste da sci artificiali che usano speciali polimeri a basso attrito, con una consistenza simile a una spazzola per capelli ispida, con quel minimo di cedevolezza perché gli sci ci affondino lievemente quando devono girare. Esistono anche sci speciali fatti per essere usati sull'erba e su altre superfici, ma usano ruote o cingoli anziché scivolare.

Se volete continuare a sciare sulla neve, ma non c'è più neve su cui scivolare, dovrete crearvene un po' voi.

Circa il 90% delle stazioni sciistiche statunitensi utilizza la neve artificiale per garantire che le piste siano coperte non appena fa abbastanza freddo perché la neve faccia presa, e per mantenerle agibili per l'intera stagione anche se il tempo non collabora. La neve artificiale aiuta anche a reintegrare la neve persa durante la stagione perché si è liquefatta o è stata erosa dagli sciatori.

I cannoni sparaneve producono neve artificiale usando aria compressa e acqua per creare un flusso di minuscoli cristalli di ghiaccio, aspergendoli poi con ulteriori goccioline mentre fluttuano in aria. Mentre questa foschia scende verso terra, le gocce d'acqua si congelano sui cristalli di ghiaccio e formano i fiocchi di neve.

I fiocchi di neve così formati sono più compatti e irregolari rispetto alla delicata forma dei fiocchi di neve naturali, che hanno avuto molto più tempo per crescere lentamente in una nuvola, una molecola d'acqua alla volta, il che permette la generazione di strutture complesse e simmetriche. La neve artificiale si forma rapidamente, nel breve tempo in cui l'acqua scende dall'ugello a terra, da una manciata di gocce messe insieme come capita.

Supponiamo che per sciare ci serva una pista larga 1,5 m, su cui scenderemo a una velocità di 30 km/h. La neve naturale può essere composta, in volume, per il 10% di acqua e per il 90% di aria, anche se questo rapporto varia abbastanza, a seconda di quanto è leggera e soffice la neve. Per semplicità, supponiamo anche che, per sciarci sopra, vogliamo circa 20 cm di neve piuttosto pesante, con una densità pari a 1/8 di quella dell'acqua, e quindi equivalente in massa a uno strato d'acqua spesso 2,5 cm. La quantità totale di acqua di cui avremo bisogno è quindi:

$$1{,}5\text{ m} \times 20\text{ cm} \times \frac{1}{8} \times 30\text{ km/h} = 1125\,\frac{\text{m}^3}{\text{ora}} \approx 300\,\frac{\text{litri}}{\text{secondo}}$$

Sciare per un tratto lungo come un campo di calcio richiederà circa 4000 litri d'acqua, nonché l'attrezzatura per trasformarla in neve.

Non sarà facile trovare l'attrezzatura in grado di produrre neve alla velocità necessaria. I più grandi impianti di innevamento artificiale producono neve al ritmo di 100 m^3 all'ora. È appena un decimo di quello che vi serve: dovrete usarne tanti.

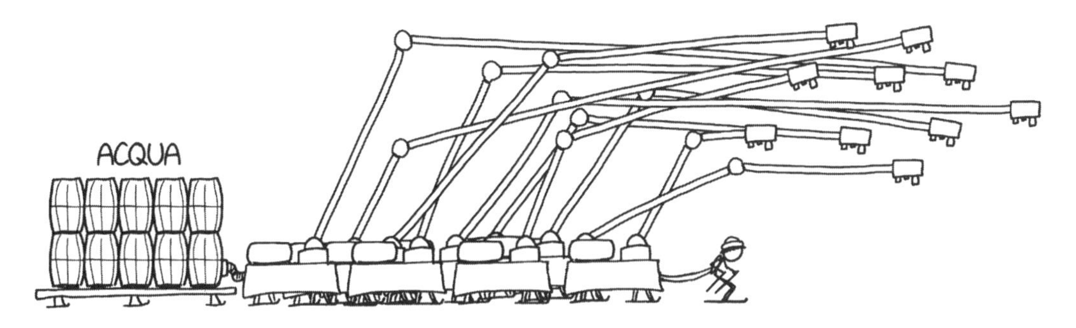

La neve proveniente dai normali cannoni sparaneve richiede molto tempo per posarsi a terra, cosicché dovrete produrre la neve molto più avanti rispetto alla vostra posizione attuale per darle il tempo di assestarsi, senza contare che il movimento delle correnti d'aria può rendere difficile che se ne concentri abbastanza lungo una pista stretta.

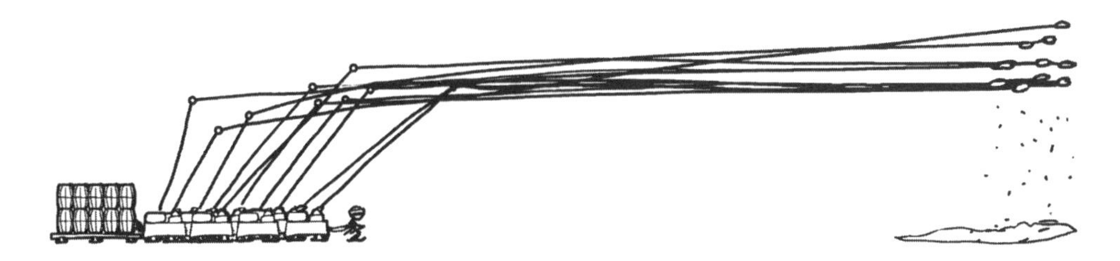

La discesa lunga e lenta è necessaria perché le gocce d'acqua impiegano molto tempo a perdere calore nell'aria attraverso l'evaporazione, per potersi attaccare ai cristalli di ghiaccio. Volendo, esistono modi per raffreddare le gocce d'acqua più rapidamente, ma presentano qualche inconveniente.

Se nel flusso aria/acqua iniettate sostanze a bassa temperatura come l'azoto liquido, queste possono ridurre la temperatura e causare un congelamento quasi istantaneo. Queste tecniche permettono di creare neve rapidamente e sono usate da alcune aziende produttrici di neve per eventi speciali in zone in cui la temperatura dell'aria è troppo elevata per la normale produzione di neve artificiale. Le tecniche di congelamento criogenico in genere non sono impiegate dalle stazioni sciistiche: congelare l'acqua in questo modo è troppo costoso e richiede troppa energia rispetto a lasciarla congelare da sola nell'aria.

Per la vostra pista da sci piccola e stretta, però, l'azoto liquido potrebbe essere abbordabile. Se lo acquistate sotto forma di piccoli serbatoi, la corsa vi costerà sui 50 dollari al secondo, ma i fornitori industriali vi faranno un prezzo di gran lunga migliore se lo acquistate all'ingrosso.

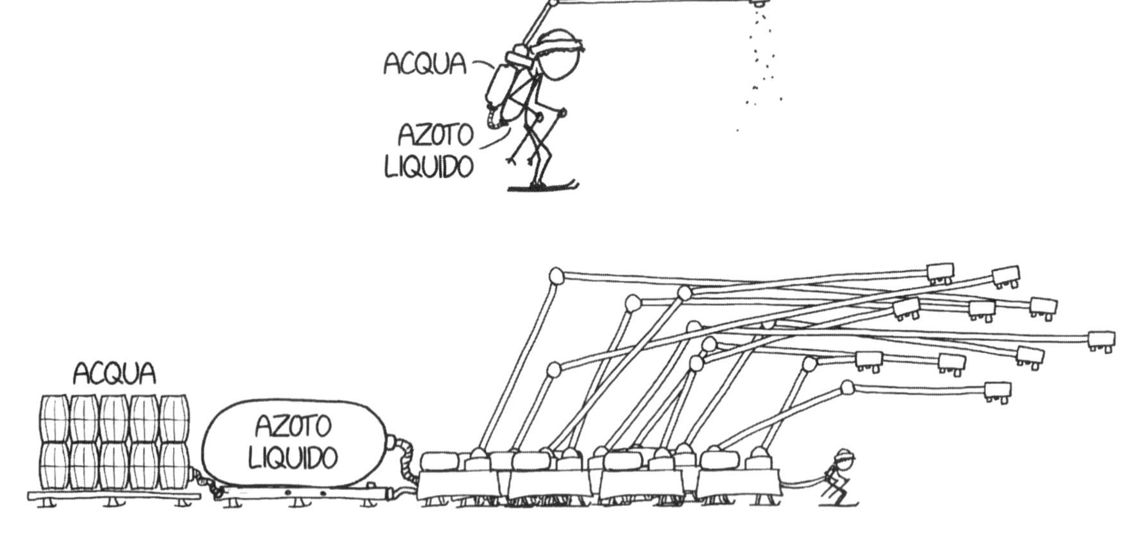

Non dovete usare per forza azoto liquido: potete anche provare altri gas criogenici. L'ossigeno liquido è simile all'azoto liquido e altrettanto facile da produrre; si potrebbe usare in teoria per l'innevamento, ma non è consigliabile. L'azoto liquido è un fluido criogenico molto usato anche perché è inerte e non reattivo, mentre l'ossigeno liquido non è niente di tutto ciò.

RENDERE PIÙ EFFICIENTE LA PROCEDURA

Potreste ridurre il consumo di neve se in qualche modo riusciste a raccogliere la neve alle vostre spalle e a riutilizzarla, anziché produrre nuova neve via via che procedete.

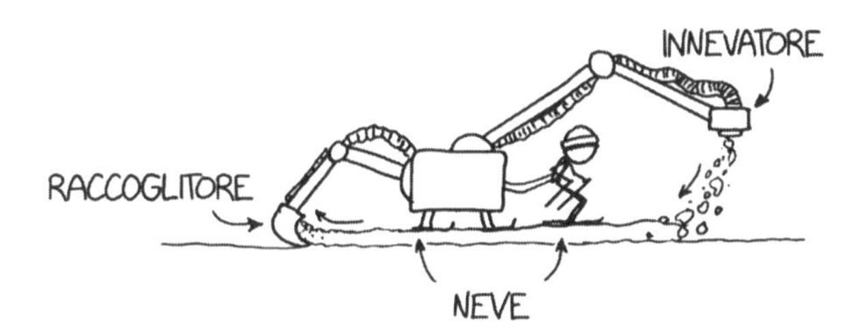

Se mettete una specie di telo sotto la neve, potete recuperarne l'intero strato e riutilizzarlo con perdite minime.

Più è stretto il ciclo di trasferimento della neve, e meno ne serve.

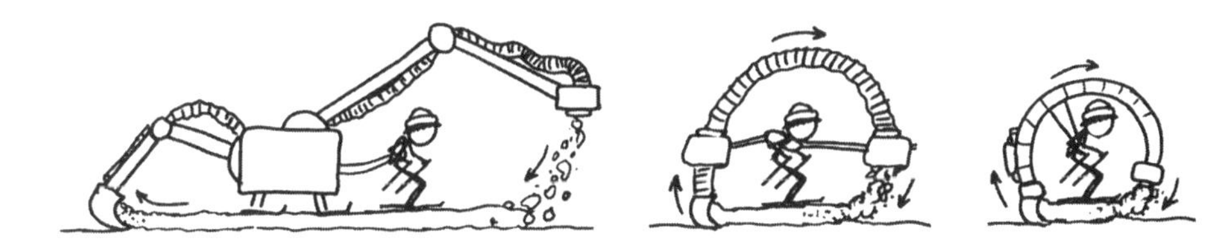

C'è pochissima atmosfera alla quota della ISS, ma è sufficiente per produrre una quantità minuscola ma non trascurabile di resistenza che, prima o poi, fa rallentare gli oggetti e li fa scendere in un'orbita sempre più bassa finché non colpiscono l'atmosfera e (di solito) bruciano. Anche la ISS risente di questa resistenza; usa i propulsori per compensare, portandosi periodicamente in un'orbita più alta per controbilanciare la perdita di altitudine. Se così non fosse, la sua orbita decadrebbe gradualmente fino a far cadere l'ISS sulla Terra.

Agli astronauti capita spesso di consegnare casualmente oggetti alla Terra in questo modo. Mentre sono impegnati in attività extraveicolare per l'ISS, hanno lasciato cadere accidentalmente vari oggetti, tra cui un paio di pinze, una macchina fotografica, una borsa degli attrezzi e una spatola che un astronauta stava usando per applicare un adesivo di riparazione da collaudare. Ognuno di questi satelliti creati inavvertitamente ha orbitato attorno alla Terra per mesi o anni prima che la sua orbita decadesse.

Un pacco lanciato fuori da uno sportello subirà lo stesso destino di tutti i componenti, borse e oggetti vari che si sono allontanati dalla stazione nel corso degli anni: uscirà dall'orbita ed entrerà nell'atmosfera.

CONSEGNA ORBITALE

OPZIONI DI CONSEGNA	TEMPO DI CONSEGNA	COSTO
○ ESPRESSA (CONSEGNA BALISTICA)	45 MINUTI	$70.000.000
○ PRIORITARIA (CONSEGNA CON SOYUZ + POSTA)	3-5 GIORNI	$200.000
◉ ECONOMICA (RESISTENZA ATMOSFERICA)	3-6 MESI	GRATIS

Questo metodo di spedizione ha due grossi problemi: in primo luogo, il pacco brucia nell'atmosfera prima di raggiungere il suolo. E in secondo luogo, se anche sopravvive, non c'è modo di sapere dove atterrerà. Per consegnare il vostro pacchetto, dovrete risolvere entrambi questi problemi.

Innanzi tutto, diamo un'occhiata a come mantenere intatto il pacco.

RISCALDAMENTO DA RIENTRO

Quando qualcosa entra nell'atmosfera, spesso brucia. Non è dovuto a qualche strana proprietà dello spazio: è solo perché le cose in orbita vanno *velocissime*. Quando gli oggetti colpiscono l'aria a quelle velocità, l'aria non ha il tempo di togliersi di mezzo e si comprime, si riscalda, si trasforma in plasma e spesso, così facendo fonde o vaporizza l'oggetto.

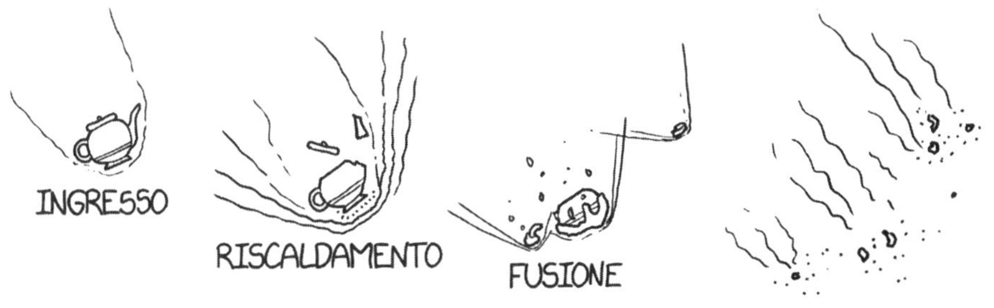

Per evitare che un veicolo spaziale rimanga distrutto, gli fissiamo sulla parte anteriore gli scudi termici, perché assorbano il calore del rientro e proteggano il resto dello scafo.[1] Hanno delle forme speciali, che contribuiscono a creare un cuscino d'aria tra l'onda d'urto e la superficie del mezzo, impedendo al plasma più caldo di toccare lo scafo.

1 Perché i veicoli spaziali non rallentano usando i razzi e poi entrano nell'atmosfera a bassa velocità, in modo da evitare la necessità di un ingombrante scudo termico? La risposta è semplice: richiederebbe di gran lunga troppo carburante. Anche i veicoli che usano i razzi per atterrare, come il rover *Curiosity* o i lanciatori riutilizzabili di SpaceX, decelerano per la maggior parte grazie alla resistenza atmosferica e usano i razzi solo per l'ultima parte dell'atterraggio.
Fare in modo che un veicolo spaziale proceda contro la gravità a una velocità tale da entrare in orbita richiede decine di volte il suo peso in carburante, motivo per cui i missili sono così grandi. Il rallentamento richiederebbe all'incirca la stessa quantità e quindi, invece di lanciare in orbita un veicolo spaziale da una tonnellata usando 20 tonnellate di carburante, dovremmo lanciare un veicolo spaziale da una tonnellata e 20 tonnellate di carburante per rallentarlo: così, anziché un veicolo spaziale da 1 tonnellata, di fatto ne stiamo lanciando uno da 21 tonnellate, il che significa che ci servono 420 tonnellate di carburante. A confronto con 420 tonnellate di carburante, uno scudo termico da 50 kg è una soluzione molto più efficiente.

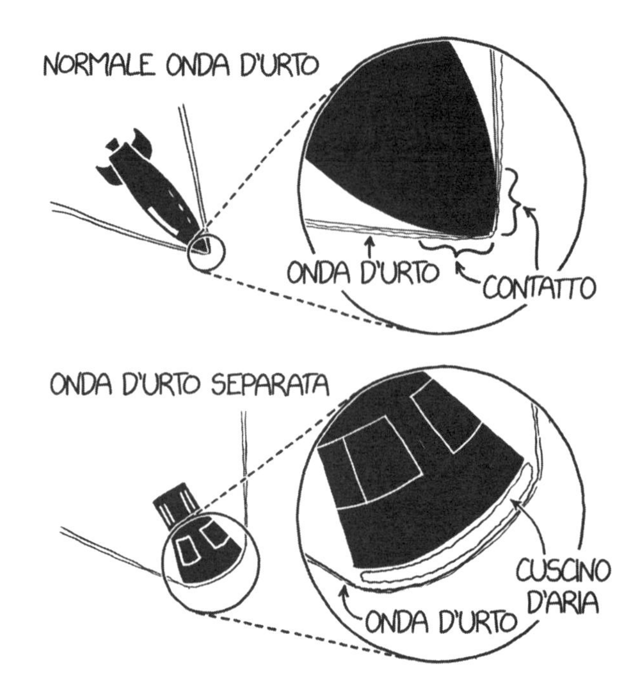

Il destino di un oggetto che colpisce l'atmosfera dipende dalle sue dimensioni.

L'atmosfera terrestre pesa quanto uno strato d'acqua spesso 10 m. Per capire che possibilità abbia una meteora di riuscire a passare, possiamo immaginare che stia letteralmente colpendo uno strato di acqua di 10 m. Se l'oggetto pesa più dell'acqua che dovrebbe spostare per raggiungere la superficie, probabilmente ce la farà. Funziona abbastanza bene per essere un'approssimazione grossolana!

Gli oggetti molto grandi, delle dimensioni di una casa o più, hanno un'inerzia sufficiente per penetrare nell'atmosfera e colpire il terreno senza perdere molta velocità. Sono gli oggetti che lasciano crateri nel terreno.

Gli oggetti di dimensioni inferiori, da quelle di un sassolino a quelle di un'automobile, sono troppo piccoli per sfondare l'atmosfera. Quando la colpiscono, si riscaldano fino a rompersi, evaporare o entrambe le cose. A volte qualche pezzo di questi oggetti sopravvive all'ingresso nell'atmosfera, o perché altre parti hanno assorbito il calore e l'hanno protetto, o perché è fatto di un materiale in grado di resistere alle condizioni di rientro. Ma quando succede, perde la velocità orbitale e poi cade a velocità terminale fino al suolo. Dopo il breve impulso di calore al momento di frantumarsi, questa caduta libera attraverso la fredda atmosfera superiore richiede diversi minuti, motivo per cui le meteoriti sono spesso molto fredde quando vengono trovate.

Questi frammenti di detriti sopravvissuti colpiscono il terreno a velocità relativamente basse. Se atterrano nella terra soffice o nel fango possono provocare degli schizzi, ma non formano un gran cratere. Ecco perché tutti i crateri da impatto sulla Terra sono grandi: solo oggetti grandi e pesanti mantengono l'energia cinetica orbitale fino al suolo. Ci sono crateri da impatto di un metro o poco oltre – appena più grandi degli oggetti che li hanno formati – e crateri da impatto di varie centinaia di metri di diametro, ma nulla in mezzo.

Senza schermatura, i veicoli spaziali rimarrebbero distrutti nell'atmosfera. Quando un oggetto grande entra nell'atmosfera senza uno scudo termico, di solito alla superficie arriva tra il 10% e il 40% della sua massa, mentre il resto si fonde o evapora. È per questo che gli scudi termici sono così amati.

Per proteggere il vostro pacchetto fino alla superficie potete quindi usare uno scudo termico. Il tipo più semplice è quello *ablativo*, che si brucia via via. Non è riutilizzabile, a differenza delle piastrelle resistenti al calore dello space shuttle, ma è più semplice e può gestire uno spettro più ampio di condizioni. Basta quindi modellare la capsula in modo che punti nella giusta direzione – scudo termico davanti, pacchetto dietro – e mandarlo per la sua strada.

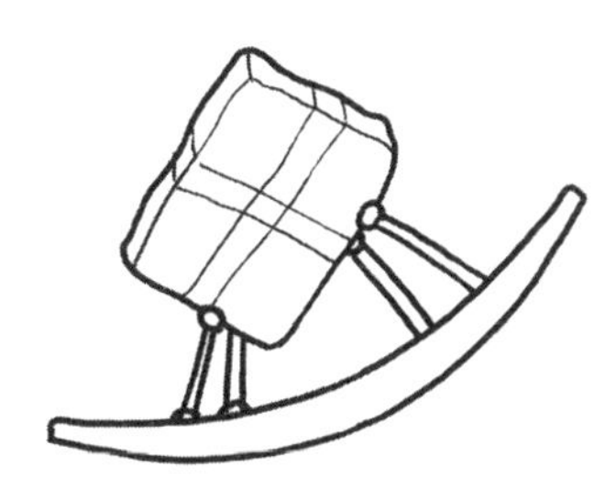

Volendo, potete aggiungere un paracadute per la caduta finale, ma se l'oggetto che lanciate è leggero o resistente, come calzini, fazzoletti di carta o una lettera, può essere in grado di sopravvivere alla caduta alla velocità terminale relativamente integro.

Ogni oggetto costruito dall'uomo progettato per sopravvivere al rientro ha usato uno scudo termico protettivo curvo, con poche eccezioni.

LE VALIGIE DI APOLLO

Il programma Apollo inviò sette squadre di astronauti a sbarcare sulla Luna. Ogni missione portava, tra le altre cose, un kit di esperimenti delle dimensioni di una valigia, da lasciare sulla superficie della Luna per effettuare misurazioni e trasmettere informazioni sulla Terra. Sei dei sette erano alimentati dalla radioattività del plutonio. (Il primo, quello di *Apollo 11*, era più semplice. I componenti elettronici erano alimentati dall'energia solare, ma anch'esso usava elementi di plutonio per tenere caldo il resto.)

Sei delle missioni Apollo allunarono e attivarono le rispettive valigie. Una, *Apollo 13*, notoriamente no. Dopo che una parte della loro navicella esplose,[2] interruppero la missione e tornarono verso la Terra. Si salvarono tutti, fu molto eroico ecc. Ma parliamo della valigia.

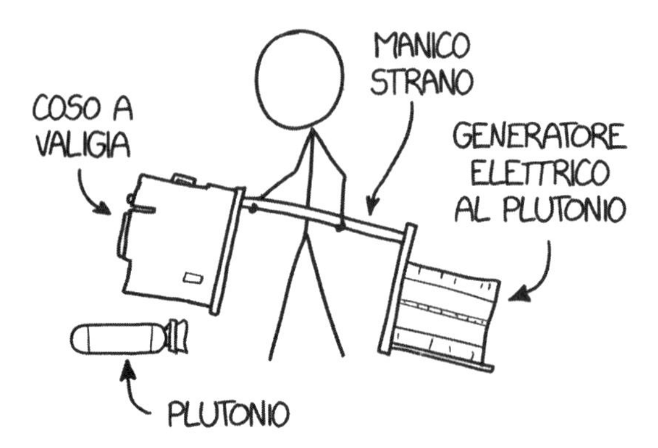

Dato che gli astronauti non riuscirono a raggiungere la Luna, non poterono lasciarci la valigia piena di plutonio e la riportarono verso la Terra, ma questo creava un problema.

Solo il modulo di comando, con all'interno gli astronauti, era progettato per tornare in sicurezza sulla superficie terrestre. Il resto del veicolo spaziale, incluso il lander lunare, doveva bruciare nell'atmosfera. Il modulo di comando aveva spazio solo per gli astronauti e i campioni prelevati; la valigia – e il nucleo di plutonio, immagazzinato separatamente – sarebbe dovuto rimanere nel lander

2 Non fu grave come può sembrare. Ora che ci penso, in realtà fu più o meno grave come può sembrare.

condannato. Ma se il contenitore contenente il plutonio si fosse disintegrato, avrebbe disperso il materiale radioattivo nell'atmosfera.[3]

Fortunatamente, gli ingegneri che avevano progettato la valigia avevano pensato a questa possibilità. Il plutonio era contenuto in un recipiente ad alta resistenza, circa delle dimensioni e della forma di un piccolo estintore, schermato da strati di grafite, berillio e titanio. Il guscio protettivo gli avrebbe permesso di sopravvivere al rientro, anche se il resto del modulo lunare abbandonato gli si fosse distrutto violentemente attorno.

Quando gli astronauti dell'*Apollo* entrarono nel modulo di comando mentre si avvicinavano alla Terra, lasciarono la valigia nel modulo lunare, di cui poi accesero i motori in modo da deviarlo nell'area sopra la fossa delle Tonga, una delle parti più profonde del Pacifico: così il recipiente sarebbe caduto in mare, adagiandosi sul fondo. Nei decenni trascorsi da allora non è mai stata rilevata radioattività in eccesso, il che significa che il guscio protettivo ha fatto il suo lavoro. Il recipiente del plutonio giace ancora oggi sul fondale del Pacifico. Il plutonio è ormai decaduto quasi per metà, ma nel 2019 continua a produrre oltre 800 watt di energia termica. Forse proprio in questo momento qualche creatura delle acque profonde in cerca di calore se lo sta coccolando.

3 D'altro canto, stiamo parlando della metà del XX secolo: potremmo pensare che se si preoccupavano tanto per le particelle radioattive nell'atmosfera, magari potevano non far esplodere tante bombe nucleari. Ma che cosa ne posso sapere io? Mica c'ero.

CAPITOLO 16

Come rifornire d'energia una casa

(sulla Terra)

A casa vostra c'è un mucchio di cose che vanno collegate a una presa elettrica. Come fate a rifornire d'energia tutta la casa?

Una tipica famiglia americana consuma, in media nel corso dell'anno, circa un chilowatt di potenza. Alle tariffe elettriche del 2018, il costo è di circa 1100 dollari all'anno. Se avete un giardino, può offrire un'alternativa più economica?

Diamo un'occhiata a qualcuna delle fonti a cui potreste attingere, utilizzando come esempio una tipica casa statunitense.

Una casa unifamiliare mediana di recente costruzione negli Stati Uniti si trova su un terreno di 800 m², il 25% dei quali è occupato dalla casa stessa. Supponiamo che viviate in una casa fatta così e ragioniamo sui flussi di energia a cui vi dà accesso il vostro piccolo appezzamento di terra.

Tradizionalmente, quando uno possedeva un po' di terra, possedeva anche la colonna d'aria soprastante e il suolo sotto di essa, come dice la massima *Cuius est solum, eius est usque ad coelum et ad inferos*, cioè "Il proprietario del terreno lo possiede fino al cielo e fino all'inferno".

Nei tempi moderni la proprietà verso l'alto può essere limitata in vari modi, tra cui i regolamenti urbanistici, le norme sull'aviazione civile e il Trattato sullo spazio extra-atmosferico del 1967, che proibisce le rivendicazioni di proprietà sullo spazio. Anche verso il basso la proprietà può essere limitata dal fatto che i diritti minerari sono spesso venduti separatamente dal terreno, cosicché possiamo possedere la proprietà, ma non tutto ciò che c'è sepolto sotto.

Negli Stati Uniti vivono circa 120 milioni di famiglie, e quindi ci sono 14 chilowatt per famiglia!

Sfortunatamente per casa vostra, questa è una valutazione molto ottimistica. La maggior parte della pioggia degli Stati Uniti cade a quote più basse e non tutta scorre in flussi facilmente sfruttabili. Il dipartimento dell'energia stima che l'energia idroelettrica totale disponibile negli Stati Uniti – il cui sfruttamento richiederebbe la costruzione di dighe su riserve naturali e fiumi spettacolari – sia di 85 gigawatt, 1/20 di quel totale. Sono appena 700 watt a famiglia.

PARTE 2: INFERI

Combustibili sepolti

Se la vostra proprietà di 800 m^2 rappresenta 1/12.000.000.000 dell'area degli Stati Uniti, possiamo immaginare che contenga 1/12.000.000.000 delle risorse minerarie degli Stati Uniti. Ovviamente in realtà tutte queste risorse sono distribuite nella nazione in piccoli giacimenti: quindi o ne avete molto di più o molto di meno. Ma se fossero distribuite uniformemente, ecco che cosa avreste sotto la vostra proprietà:

- **3 barili di petrolio**. Ogni barile di petrolio greggio può fornire circa 6 gigajoule di energia; tre barili sono quindi sufficienti per alimentare una casa per circa otto mesi.
- **1 milione di litri di gas naturale**, sufficienti per alimentare la casa per poco più di sedici mesi.
- **19 tonnellate di carbone**. Il carbone ha una densità di energia di circa 20 megajoule per chilogrammo, cosicché le vostre 19 tonnellate di carbone sarebbero in grado di alimentare la casa per dodici anni.
- **43 grammi di uranio**, che alimenterebbero casa vostra per alcuni mesi in un reattore nucleare tradizionale oppure per più di dieci anni in un tipo più avanzato chiamato "reattore a neutroni veloci". Questi reattori sono molto più efficienti, ma sono anche molto più costosi da gestire e richiedono l'arricchimento dell'uranio a un livello più vicino a quello a cui potrebbe essere utile per le armi nucleari; quando ne sentono parlare, le agenzie internazionali di regolamentazione si innervosiscono.

Sommando tutto, queste risorse sotterranee rappresentano qualche decennio di energia.

In realtà il vostro terreno non conterrebbe davvero tutti questi depositi; con ogni probabilità, non ne contiene *nessuno*. E se anche fosse, l'energia necessaria per estrarli sarebbe maggiore di quella che genererebbero. Inoltre, in termini di impatto sul clima terrestre, gli esseri umani non possono certo permettersi di bruciare tutti i combustibili fossili nascosti nel terreno: tutto sommato è meglio, se non li possiamo tirare fuori.

Energia geotermica

La Terra si sta ancora raffreddando, sia dal calore generato quando collassò inizialmente in una palla, sia da quello causato dal decadimento radioattivo di potassio, uranio e torio nelle profondità del pianeta. La Terra si raffredda irradiando calore attraverso la superficie. Nella maggior parte dei luoghi, questo calore è generalmente molto debole e difficile da rilevare, ma in certi punti non lo si può proprio ignorare.

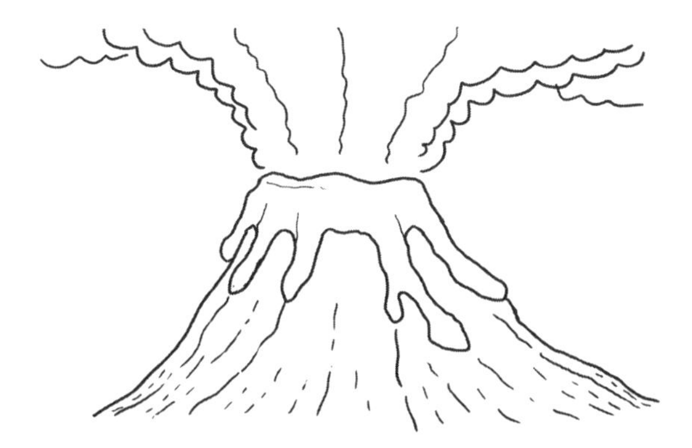

Il flusso di calore in una tipica area geologicamente tranquilla può essere di 50 milliwatt per metro quadrato, quindi in linea di principio la vostra proprietà dovrebbe avere accesso indefinitamente a 40 watt di potenza termica. L'effettiva produzione di energia geotermica consiste nel perforare pozzi profondi, pomparci dentro acqua e farla riscaldare delle rocce roventi. La riserva di calore viene reintegrata dalle aree circostanti e quindi di fatto si estrae calore dal sottosuolo di *tutti*.

Nella pratica, l'energia geotermica è concretamente sfruttabile solo nelle aree geologicamente attive in cui si possono trovare alte temperature vicino alla superficie. The Geysers, un vasto impianto geotermico nel nord della California, produce una potenza di circa 190 chilowatt per ettaro: se per caso vivete da quelle parti potete alimentare facilmente casa vostra. In aree meno attive geologicamente è facile che l'energia geotermica dia, nella migliore delle ipotesi, un piccolo supplemento di acqua calda.

Placche tettoniche

Vivere su una faglia ha i suoi lati negativi, ma forse riuscite a trovare il modo di sfruttarlo. Il terreno esercita una forza lungo un tratto di una certa estensione, e una forza moltiplicata per una lunghezza dà un'energia. Un paio di centimetri di spostamento all'anno non è molto, ma questo movimento ha dietro una forza praticamente infinita. Possiamo sfruttarlo per generare elettricità?

In teoria sì!

Supponiamo di aver costruito una coppia di pistoni giganti, ancorati a due ampie aree di crosta dalle due le parti della faglia, in modo tale che i pistoni comprimano un serbatoio di fluido tra di loro.

La pressione sul fluido si accumulerebbe nel tempo e si potrebbe sfruttare per azionare una turbina. La massima pressione teorica che potrebbe generare questo arnese dipenderebbe dalla pressione che possono tollerare i pistoni. Se il materiale di cui sono fatti ha una resistenza alla compressione massima di 800 megapascal e i pistoni sono larghi quanto il vostro giardino e alti il doppio – in modo da avere un'area di circa 1600 m^2 – la potenza disponibile teorica totale si ottiene moltiplicando la velocità di movimento della faglia per l'area del pistone e per la pressione:

$$\frac{2{,}5\ \text{cm}}{\text{anno}} \times 1600\ \text{m}^2 \times 800\ \text{MPa} = 1\ \text{kW}$$

L'intero sistema è ridicolo e tecnicamente insensato per un sacco di motivi, e se cercaste veramente di costruirne uno, sicuramente ne scopriresta altri ancora. Uno dei motivi per cui è un'idea ridicola è il costo.

Le "radici" della struttura che ancorano il generatore alla crosta dovrebbero estendersi a grande distanza, altrimenti la crosta si limiterebbe a spezzarsi e si formerebbero nuove linee di faglia. Queste "radici" avrebbero un volume misurato in milioni di metri cubi. Se fossero fatte d'acciaio e si estendessero per 5 km in ogni direzione, peserebbero 60 miliardi di tonnellate e costerebbero qualcosa come 40 miliardi di dollari.

Ora, 40 miliardi di dollari sono un sacco di soldi, ma vi farebbero anche risparmiare 1100 dollari all'anno di bolletta della corrente. A quel ritmo, rientrereste dell'investimento in...

$$\frac{40\ \text{miliardi di dollari}}{\frac{1100\ \text{dollari}}{\text{anno}}} = 36\ \text{milioni di anni}$$

... 36 milioni di anni.

PARTE 3: COELUM

Il Sole

La potenza media della luce solare che cade su un appezzamento di terreno negli Stati Uniti varia a seconda della latitudine, della copertura nuvolosa e del periodo dell'anno, ma un valore tipico è di circa 200 watt per metro quadrato. È una media nel corso di un anno: la potenza può raggiungere i 1000 watt per metro quadrato quando il sole è alto nel cielo, ma le nuvole, le stagioni e il fatto che di notte è buio abbassano la media. (Le aziende elettriche spesso usano come unità di misura il chilowattora; in questi termini 200 watt equivalgono a quasi 5 kWh al giorno.)[1]

I moderni pannelli solari convertono in elettricità circa il 15% dell'energia proveniente dal Sole; quindi, se coprite tutto il giardino con pannelli solari, catturerete 24 chilowatt, molto più di quanto vi serva:

$$800 \text{ m}^2 \times \frac{200 \text{ watt}}{\text{m}^2} \times 15\% = 24.000 \text{ watt.}$$

Potete migliorare l'efficienza inclinando i pannelli verso il Sole, per ottenere un'area maggiore – a spese dei vicini – o per avere la stessa quantità di energia occupando meno terreno...

... ma nel complesso l'effetto sarebbe relativamente piccolo. Il fattore limitante per l'energia solare in genere non è l'area disponibile, bensì il costo dei pannelli. Nel 2019 un ettaro di pannelli solari può

1 Un'osservazione sulle unità di misura: "1,38 chilowatt" non è un dato annuale, è solo la velocità a cui qualcuno consuma elettricità, mediata sul tempo. Siamo abituati a misurare il consumo di elettricità in chilowattora (l'energia necessaria per fornire un chilowatt per un'ora) poiché è così che ne viene definito il prezzo e viene venduta. Va benissimo, ma suona un po' strano dal punto di vista della fisica. Dopotutto la media si può esprimere semplicemente in "chilowatt". Sarebbe come dire che la larghezza di una strada è "6000 m² al chilometro" invece di dire che è larga 6 m.

costare oltre 5 milioni di dollari, e anche di più se volete essere in grado di immagazzinare l'energia nel caso in cui il Sole scompaia.

Alle tariffe elettriche del 2019 di 13 centesimi di dollaro/kWh, i pannelli solari per il terreno del nostro esempio si ripagherebbero da sé in quattordici anni, ma vari incentivi fiscali e la possibilità di vendere l'energia in eccesso alla rete possono ridurre in modo significativo questo periodo di ammortamento. In zone molto assolate e/o con generosi incentivi per le energie rinnovabili, i nuovi pannelli solari possono ripagarsi da soli in pochi anni.

Vento

La quantità di energia eolica disponibile dipende da quanto è ventosa l'area in cui vivete e da quanto in alto siete disposti a costruire. In generale, la velocità del vento aumenta con la quota e quindi, se costruite una turbina più alta, potete ottenere più energia. Il National Renewable Energy Laboratory degli Stati Uniti ha raccolto dati sul potenziale di energia eolica disponibile negli Stati Uniti per turbine di varie altezze. La potenza disponibile è misurata in watt per metro quadrato, il che consente di calcolare la potenza che passa attraverso una turbina di una certa dimensione.

Un'area come Saint Louis, con una ventosità approssimativamente "normale", ha un potenziale di energia eolica di circa 100 W/m^2 a 50 m dal suolo, 200 W/m^2 a 100 m e forse 400 W/m^2 a 200 m. Le aree molto ventose, come le Montagne Rocciose, possono avere una densità di potenza almeno quadrupla, mentre nelle zone meno ventose come la Georgia centrale e l'Alabama la potenza disponibile può essere un quarto di quella media.

Se la vostra proprietà di 800 m^2 è quadrata, potete montare una turbina eolica di 28 m di diametro, o addirittura di una quarantina di metri se i venti dominanti permettono di metterla in diagonale.

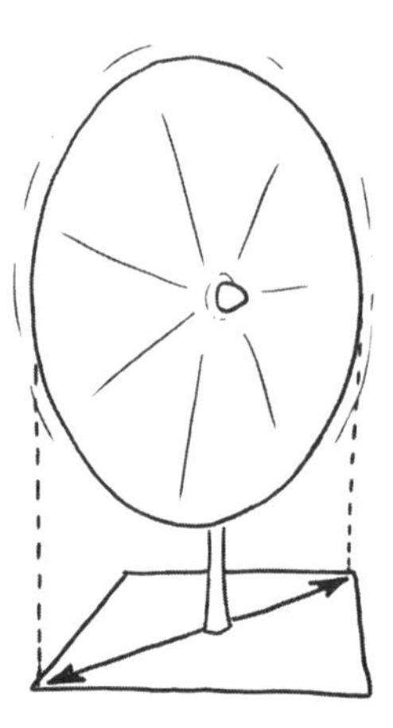

Una turbina di 28 m di diametro ha una superficie di circa 615 m^2. Se è installata a un'altezza di 50 m, dove il potenziale è di 100 W/m^2, la potenza disponibile sarà di 61,5 chilowatt. Le turbine eoliche non sono efficienti al 100%; per via della legge di Betz non possono mai estrarre più del 60% dell'energia del vento che le attraversa. Nella pratica, a causa delle variazioni nella velocità del vento e delle perdite dovute alle trasformazioni, la potenza effettiva catturata è più vicina al 30% della media disponibile. Il 30% di 61,5 chilowatt corrisponde pur sempre a più di 18 chilowatt, abbastanza per alimentare la vostra casa e quelle di 17 vicini.

Questa generosità può tornare utile, dal momento che una turbina eolica di 28 m a 50 m da terra rischia di provocare qualche problema in zona. Il fondo della pala sarà ad appena 36 m dal suolo: spero che non abbiate alberi insolitamente alti.[2] E forse fareste bene a scoraggiare i bambini del vicinato dal giocare con gli aquiloni.

2 Se li avete, non li avrete a lungo.

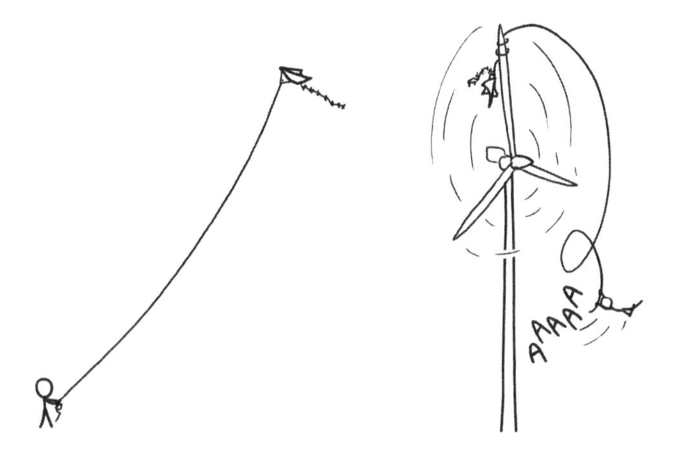

EPILOGO: LO SPAZIO

Secondo alcuni modelli teorici dell'universo i campi quantistici che compongono lo spazio esistono in quello che viene chiamato un "falso vuoto". Dopo il Big Bang la struttura dello spazio si è depositata nella sua forma attuale a partire da una caotica schiuma quantistica ad alta energia. In questi modelli la forma così assunta non è realmente fissa: lo spaziotempo stesso contiene una certa quantità di tensione e, se è perturbato nel modo giusto, questa tensione si libera e lo spazio scende in uno stato completamente rilassato e stabile.

In questi modelli, il falso vuoto rappresenta un'enorme quantità di energia potenziale in ogni metro cubo di spazio. In giardino avete un sacco di spazio facilmente raggiungibile: riuscite a innescare il decadimento del vuoto e risolvere i problemi energetici per sempre?

Per rispondere a questa domanda, ho contattato l'astrofisica ed esperta di fine dell'universo Katie Mack. Ho chiesto alla dottoressa Mack quanta energia verrebbe rilasciata se qualcuno innescasse il decadimento del vuoto nel proprio giardino e se sia possibile sfruttarlo per alimentare una casa. La sua risposta è: "Per piacere, non fatelo".

"Se riusciste a far decadere localmente il vuoto, in linea di principio liberereste l'energia del campo di Higgs, probabilmente sotto forma di radiazione con un'energia elevatissima," spiega, "ma insieme a questa energia otterreste una bolla di vero vuoto che si espande alla velocità della luce, rendendo impossibile sfruttare l'energia prima di essere avvolti dalla bolla. Questo vero vuoto vi incenerirebbe, poi distruggerebbe tutte le vostre particelle e divorerebbe l'intero universo. Dopo di che, lo farebbe immediatamente collassare."

Tipo di energia	Funziona su Marte?	Motivo
Energia eolica	Più no che sì	L'aria è troppo rada
Energia solare	Non altrettanto bene	Il Sole è più lontano
Combustibili fossili	No	Niente fossili
Energia geotermica	Più no che sì	Poca attività geologica
Energia idroelettrica	No	Niente fiumi
Energia nucleare	Solo se vi portate il combustibile da casa	Servono specifici fenomeni geologici perché si concentri l'uranio
Fusione	No	Non funziona nemmeno sulla Terra

Su Marte c'è però una potenziale fonte di energia molto insolita. Basta essere disposti a distruggere una luna per ottenerla.

Non dovete dispiacervi troppo per Fobos, una delle lune di Marte: il suo destino è già segnato.

La nostra luna orbita più lentamente di quanto la Terra ruoti, cosicché gli effetti di marea tra la Terra e la Luna rallentano la prima e accelerano la seconda. Accelerando la Luna, questo fenomeno la sospinge progressivamente più lontano.[1] Su Marte, la situazione è diversa: Fobos orbita *più velocemente* di Marte e quindi gli effetti di marea lo tirano indietro, facendolo scendere verso un'orbita più stretta. Col tempo, Fobos si avvicina sempre più a Marte.

1 Per ulteriori informazioni, si veda il capitolo 27: "Come essere puntuali".

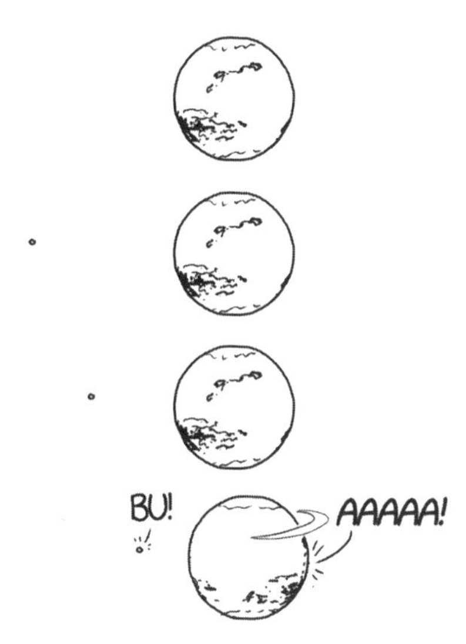

Fobos non è particolarmente pesante rispetto ad altri satelliti naturali – la nostra luna ha una massa 7 milioni di volte maggiore – ma è ancora bello grande per gli standard umani.

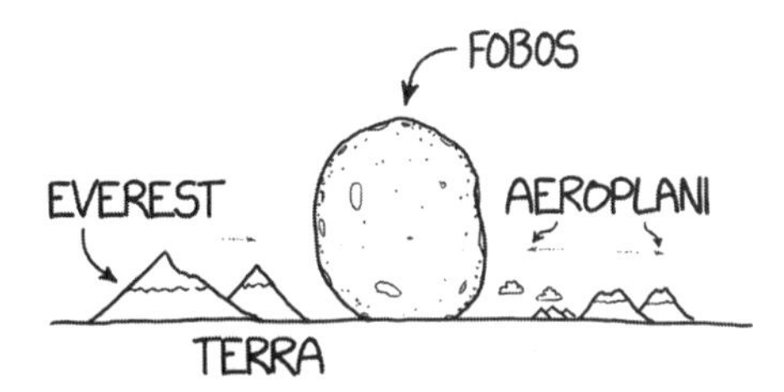

Grazie alla sua massa e alla sua velocità, Fobos trasporta un'enorme quantità di energia cinetica mentre gira attorno a Marte, energia a cui potreste in teoria attingere.

LEGARE FOBOS

Già in passato qualcuno ha proposto di fissare un cavo a Fobos. In genere l'idea è di usare la posizione e l'energia orbitale della luna per spostare in modo efficiente grandi quantità di materiali da e verso la superficie di Marte, spesso usando un'estremità del cavo come "gru orbitale" per afferrare il carico che deve partire da Marte.

Un cavo si potrebbe però anche usare per estrarre energia direttamente da Fobos. Se fissaste un cavo di 5820 km alla faccia di Fobos rivolta verso Marte, l'altra estremità penzolerebbe nell'atmosfera del pianeta. L'estremità libera si sposterebbe attraverso l'atmosfera di Marte a 530 m/s. Sulla Terra sarebbe circa 1,5 volte la velocità del suono ma, dato che l'atmosfera di Marte è principalmente anidride carbonica, il suono vi viaggia più lentamente[2] e 530 m/s è 2,3 volte la velocità del suono marziana.

TURBINE EOLICHE

Le turbine eoliche sulla superficie di Marte non sono poi tanto utili, perché l'aria è così rada e lenta che avrebbe problemi anche solo a far girare una pala. Rispetto all'estremità del cavo, però, ci sarebbe un vento che soffia a Mach 2,3, che è tutto un altro paio di maniche. L'aria che passa accanto al cavo trasporterebbe circa 150 chilowatt di potenza per metro quadrato. Attraverso una turbina di 20 m di diametro passerebbe in teoria una potenza di circa 50 megawatt, abbastanza per alimentare un'intera città.

2 Dato che la velocità del suono su Marte è inferiore, se provaste a parlare la vostra voce suonerebbe distintamente più profonda.

Le turbine eoliche non sono normalmente progettate per funzionare a velocità supersoniche, perché venti così veloci sono rari sulla Terra al di fuori di impatti meteorici, esplosioni vulcaniche e onde d'urto nucleari. Ne *esistono*, però, di turbine progettate per essere collegate ad aerei supersonici o a missili; sono pensate per generare energia dal flusso d'aria lungo la fusoliera, in parte per alimentare i sistemi del velivolo se i motori si piantano. Le turbine supersoniche sono aerodinamiche e presentano pale corte e tozze; quella per Marte dovrà probabilmente assomigliare di più a una di queste che a una classica turbina eolica.

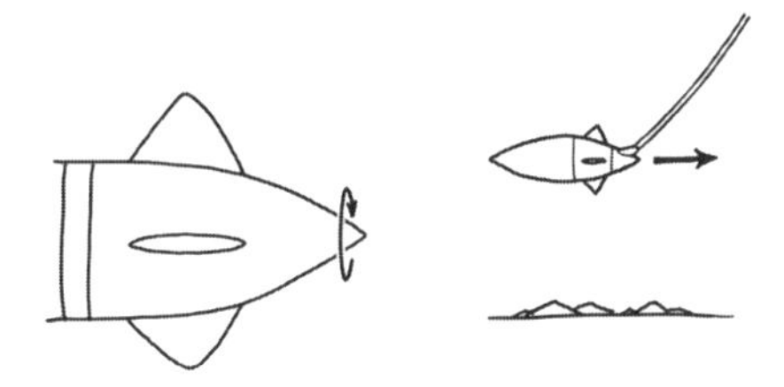

La vostra turbina verrà trascinata nell'atmosfera di Marte da Fobos, il che diminuirà la quantità di moto della luna e la farà orbitare sempre più vicino. Più turbine aggiungiamo, maggiore sarà la potenza che genereremo e più velocemente scenderà Fobos. Attenzione: man mano che Fobos si avvicina, dovrete accorciare il cavo per evitare che tocchi il terreno. Torna comodo che il cavo più corto non dovrà essere altrettanto spesso per sostenere il proprio peso e quindi potremo via via sorreggere più turbine con la stessa quantità di materiale del cavo.

L'energia totale disponibile facendo scendere Fobos fino alla sommità dell'atmosfera di Marte è:

$$G \times \text{massa di Marte} \times \text{massa di Fobos} \times \frac{1}{2} \times \left(\frac{1}{\text{raggio di Marte} + 100\text{ km}} - \frac{1}{9376\text{ km}} \right) \approx 4 \times 10^{22}\text{ J}$$

Ogni statunitense usa, in media, 1,38 chilowatt di elettricità, il che significa che l'orbita di Fobos trasporta energia sufficiente per soddisfare il fabbisogno di elettricità di una popolazione di dimensioni degli USA per quasi tremila anni. Anche se arrivassero molti nuovi vicini, ci sarebbe un mucchio di energia di Fobos da utilizzare.

I progetti di cavi orbitali richiedono enormi quantità di materiale, e questo non fa eccezione. Anche il più piccolo cavo da Fobos a Marte peserà migliaia di tonnellate e il peso aumenta se aggiungiamo turbine sempre più grandi. La quantità di energia prodotta da una turbina appesa a un cavo è proporzionale alla forza esercitata su di essa dal cavo; quindi ogni watt aggiuntivo aumenta lo sforzo sul cavo, che deve essere reso più massiccio. Viceversa, possiamo pensare a ciascun chilogrammo di materiale del cavo come a qualcosa che "produce" una certa quantità di energia.

Il peso del cavo e l'efficienza del sistema dipenderanno dai materiali utilizzati e da molti dettagli tecnici, ma nel complesso potremmo ottenere verosimilmente un massimo di 2 watt di potenza per ogni chilogrammo di cavo. Dal momento che il cavo può produrre quell'energia indefinitamente, nel corso di decenni, questi 2 watt per chilogrammo generano molta più energia totale per chilogrammo rispetto a fonti di energia comuni come le batterie, il petrolio o il carbone.[3]

Le turbine saranno inefficienti in una misura difficile da prevedere. Poiché il flusso d'aria è di fatto illimitato, la vostra preoccupazione principale sarà di ridurre la resistenza "sprecata" addosso al cavo, piuttosto che di catturare tutta la potenza dell'aria che attraversa la turbina. È possibile che alcuni tipi alternativi di turbine si dimostrino più efficienti e affidabili: sarà il caso di fare esperimenti con tipi insoliti, come le turbine di Darrieus, a resistenza o a effetto Magnus, ognuna delle quali è usata in ambiti speciali qui sulla Terra:

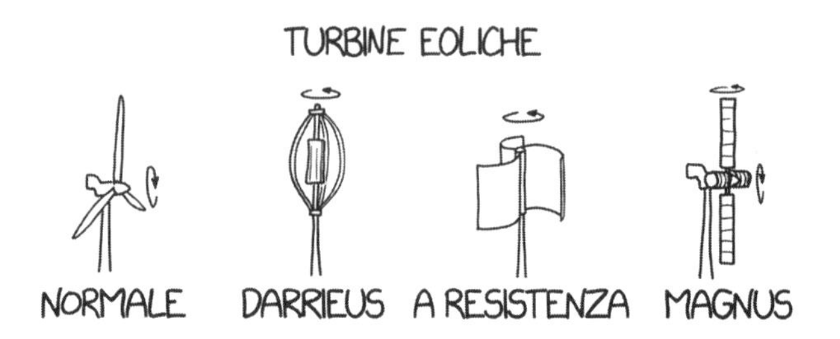

Oltre alle inefficienze associate alle turbine, dovrete far arrivare l'energia dalla turbina a casa vostra, giù in superficie, il che comporterà inevitabilmente ulteriori perdite. La trasmissione di energia si può realizzare in moltissimi modi, dall'inviarla tramite microonde a sganciare un numero enorme di batterie ricaricabili in superficie.

Quando una luna orbita troppo vicina al suo pianeta, gli effetti di marea possono diventare forti a sufficienza per estrarre materiale dalla superficie della luna. La distanza a cui ciò avviene si chiama limite di Roche. Man mano che Fobos si avvicina a Marte, può scomporsi e formare un anello di detriti. Per evitare che ciò accada, potrebbe essere necessario far uso di una sorta di rete ad alta resistenza per tenere insieme Fobos, oppure lasciare che si spezzi in diverse lune più piccole, ognuna delle quali si può tenere più facilmente insieme con una rete.

3 Non arriva però nemmeno vicino al plutonio, che produce centinaia di watt di calore per chilogrammo per molti decenni. D'altro canto, il plutonio è difficile da ottenere in grandi quantità. Il rover *Curiosity* – che sarà forse il vostro vicino di casa su Marte – è alimentato da un pezzo di plutonio da 5 kg, acquisito dalla NASA a carissimo prezzo.

Questo tipo di turbina orbitale ha una caratteristica particolarmente insolita: più a lungo la si usa e maggiore è la potenza che fornisce. Il cavo con la turbina fa sì che su Fobos si eserciti una resistenza, che fa scendere la luna... ma mentre scende, accelera anche, perché le orbite più basse sono più veloci. Un'orbita più veloce corrisponde a un cavo che si muove più rapidamente, il che significa un flusso d'aria più veloce e una maggiore potenza della turbina. Il cavo aumenterà via via la potenza che produce nel corso della vita di Fobos.

QUANDO FOBOS AMMARTA

Alla fine, una volta che la resistenza avrà prelevato tutti e 4×10^{22} joule di energia da Fobos – forse fra alcuni millenni, o magari tra pochi anni, a seconda della potenza usata dalla vostra casa e da eventuali altri coloni che attingono alle turbine – la luna raggiungerà l'atmosfera di Marte.

Fobos è di dimensioni simili al macigno che si schiantò sulla Terra alla fine del Cretaceo, la collisione che portò all'estinzione della maggior parte dei dinosauri. L'impatto di Fobos su Marte, che in quel momento sia composto da uno o più pezzi, sarà altrettanto distruttivo. Nel corso di migliaia di anni il cavo avrà consumato energia potenziale gravitazionale da Fobos e ne avrà trasferito un totale di 4×10^{22} joule al pianeta, facendo al contempo accelerare Fobos via via che scende. L'impatto di Fobos con la superficie libererà una quantità simile di energia, ma tutta in una volta.

Lo schianto di Fobos lascerà una lunga cicatrice tutt'attorno a Marte e la collisione farà schizzare un enorme volume di detriti nello spazio, la maggior parte dei quali ricadrà in una pioggia di roccia fusa che raggiungerà ogni parte della superficie. Come spesso accade, una fonte di energia "gratis" comporta in definitiva un terribile costo a lungo termine.

Le conseguenze apocalittiche non saranno *tutte* negative. Per un breve periodo, finché non si esaurirà la pioggia di lava, alcune delle vallate basse di Marte potranno essere calde a sufficienza da consentire all'acqua liquida di trovarsi in distese stabili in superficie.

$$\text{tempo fra due collisioni} = \frac{1}{\text{collisioni all'ora}} = \frac{1}{(\text{larghezza spalla} + \text{diametro medio busto}) \times \text{velocità} \times \text{densità popolazione area}}$$

Sicuramente alcune aree rendono gli incontri più facili di altre. Ecco qui l'intervallo medio di collisione per alcune regioni geografiche:

- **Canada:** 2,5 giorni
- **Francia:** 2 ore
- **Delhi:** 75 secondi
- **Parigi:** 40 secondi
- **Stadio Mercedes-Benz di Atlanta durante una partita con tutti i posti occupati:** 0,6 secondi
- **Il campo durante la partirta:** 3 minuti

Non è sorprendente che se volete imbattervi fisicamente in qualcuno, avrete più fortuna in uno stadio di football gremito che nelle foreste boreali del Canada. E, una volta che *avete* optato per lo stadio, avrete più collisioni sugli spalti che nel campo, anche se le collisioni sul campo saranno probabilmente più vigorose.

La maggior parte delle volte, in realtà, un incontro casuale non porta a un'amicizia. Poco male. Ogni tanto si sentono lamentele sul fatto che la gente che cammina per strada va scossa dalla routine, che ognuno è troppo avvolto nel proprio piccolo mondo. D'altronde, le persone hanno le loro vite e non stanno necessariamente cercando nuovi legami in questo preciso momento.

Quindi, se è così difficile connettersi, come mai esistono le amicizie?

I sondaggi possono darci un'idea di dove si fa conoscenza. Nel 1990 un sondaggio della Gallup chiese agli statunitensi dove avevano conosciuto la maggior parte degli amici. La risposta più frequente fu il posto di lavoro, seguito da scuola, chiesa, quartiere, circoli e organizzazioni, e "attraverso altri amici".

In uno studio più approfondito svolto da Reuben J. Thomas e pubblicato su *Sociological Perspectives*, è stato chiesto a 1000 intervistati statunitensi come avevano conosciuto i loro due amici più stretti. Nello studio le risposte sono state usate per creare un profilo di come si formano le amicizie a diverse età.

Alcune fonti di amicizie rimangono relativamente stabili: a tutte le età circa il 20% delle nuove amicizie si stringe attraverso la famiglia, gli amici comuni, le organizzazioni religiose o incontri in ambienti pubblici. Altre fonti di amicizia aumentano e calano nel corso della vita: all'inizio prevale la scuola, più avanti il lavoro. Quindi, con l'avvicinarsi dell'età pensionabile, si diventa più propensi a stringere amicizie tra i vicini e in organizzazioni di volontariato.

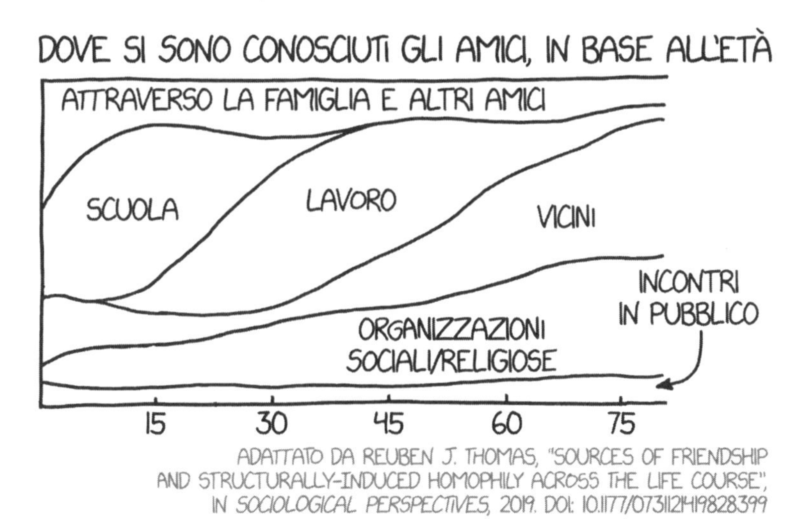

Questi studi ci aiutano per lo meno a rispondere alla domanda su dove si fa amicizia. Non sono necessariamente i luoghi in cui andare per massimizzare le possibilità di fare nuove amicizie, ma sono quelli in cui inizia la maggior parte delle amicizie.

Una volta conosciuto qualcuno, come si trasforma la conoscenza in un'amicizia?

Ecco la brutta notizia: non esiste una formula magica o un trucco che possa far diventare qualcuno vostro amico. Se ci fosse lo si potrebbe applicare a qualcuno indipendentemente da chi sia o da come la pensi. E se non vi interessa chi è qualcuno o come la pensa, non siete suoi amici.

Immanuel Kant mise a punto una regola detta "imperativo categorico", che è al centro della sua etica; la espresse in diverse formulazioni, la seconda delle quali è, in parte, "*agisci in modo da considerare l'umanità [...] sempre anche al tempo stesso come scopo, e mai come semplice mezzo*".[1]

Nel romanzo di Terry Pratchett *Carpe Jugulum*, il personaggio di Nonnina Weatherwax esprime questo principio in modo più conciso. Un giovane cerca di spiegarle che la natura del peccato è una cosa complicata e lei replica che, no, è molto semplice: "Il peccato è quando tratti le persone come cose."

Che decidiate o no di adottare la filosofia dell'imperativo categorico, è un buon consiglio pratico, perché gli altri si accorgono quando vengono trattati come cose. Quali che siano i nostri limiti, noi esseri umani abbiamo innumerevoli millenni di esperienza nel giudicare le intenzioni degli altri: è un'abilità molto più antica e profonda della nostra capacità di esprimere i sentimenti a parole. Siamo miopi e confusi e commettiamo un mucchio di errori, ma sappiamo sentire da lontano l'odore del disprezzo e dell'essere trattati dall'alto in basso.

Quindi, sebbene conoscere qualcuno possa essere facile, non c'è un insieme specifico di passaggi da seguire per *diventarne amici*, perché l'amicizia significa interessarsi a ciò che provano gli altri. E non possiamo decidere da soli ciò che provano, per quanta ricerca o riflessione ci mettiamo. Glielo dobbiamo chiedere...

1 Immanuel Kant, *Fondazione della metafisica dei costumi*, trad. di Vittorio Mathieu, Rusconi, Milano 1994, pp. 143-145.

... e ascoltare quello che hanno da dire.

Come spegnere le candeline di compleanno

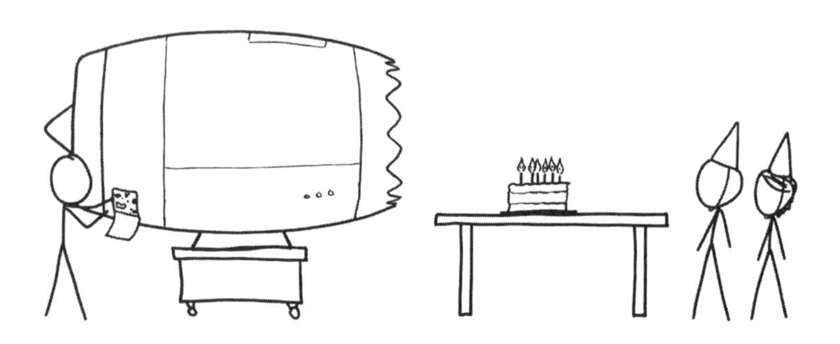

Come portare a spasso un cane

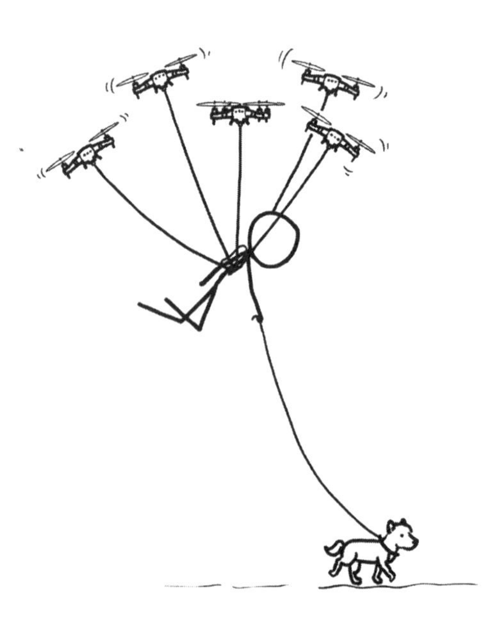

CAPITOLO 19

Come inviare un file

Inviare file di grandi dimensioni può essere difficile.

I sistemi operativi moderni si sono allontanati dal concetto di "file": per esempio spesso non mostrano una cartella piena di file di immagini, bensì una raccolta di foto. Ma i file resistono e probabilmente saranno con noi per decenni a venire. E finché li avremo, ci capiterà di inviarli ad altri.

Il modo più semplice e ovvio per inviare un file consiste nel prelevare il dispositivo su cui è archiviato, andare dal destinatario e consegnarglielo.

Trasportare un computer può essere difficile – specialmente quelli di un tempo, grandi come una stanza – e quindi anziché l'intero computer, potete provare a staccarne un pezzo che contiene il file e portarlo all'altra persona, che così potrà trasferirlo sul proprio dispositivo. Su un computer da scrivania i file in genere sono archiviati su un disco rigido, che spesso si può rimuovere senza distruggere il computer.

ADESSO TI MANDO IL FILE.
DOVE?
È UN TRASFERIMENTO VIA ETERE.
NON LO VEDO.
SCUSA, CI METTE UN PO'.
CHE PROTOCOLLO USI?
LO MANDO CON UN CLOUD.
MI SA CHE NON FUNZIONA.
ASPETTA, QUA SFARFALLA.

CAPITOLO 20

Come caricare il telefono

(quando non trovate una presa)

Il modo più semplice per caricare il telefono è collegarlo a una presa. Purtroppo non sempre le si trova facilmente quando servono.

A volte c'è una presa, ma c'è già collegato qualcosa, come un telefono di qualcun altro o un apparecchio incustodito. Se vi portate appresso una piccola ciabatta, in certi casi potete staccare il cavo per un momento e collegarlo alla ciabatta, per poi usare una delle altre prese, ma se lo fate state attenti.

Se invece proprio non riuscite a trovare una presa, il compito diventa un po' più difficile. Anziché ottenere energia da un muro amico, la dovrete prelevare dall'ambiente in qualche altro modo.

Gli esseri umani estraggono energia da vari fenomeni naturali. Bruciamo le cose per ottenere calore, raccogliamo energia dalla luce solare, preleviamo il calore sotterraneo e sfruttiamo il movimento del vento e dell'acqua costringendoli a ruotare le pale delle turbine.[1]

In teoria ognuna di queste tecniche può funzionare anche in ambienti chiusi, ma è tutto più difficile. Certo, all'interno di un aeroporto potete trovare luce, calore, acqua corrente e cose infiammabili, ma di solito in quantità molto minori rispetto all'esterno, in parte perché, in un ambiente artificiale, tutto quello che c'è è stato messo lì da qualcuno. In fisica, *energia* e *lavoro* sono sinonimi. Se un arnese costruito dall'uomo diffonde nell'ambiente tanta energia che vale la pena dedicare del tempo a raccoglierlo, allora chiunque lo abbia attivato sta compiendo un mucchio di lavoro per niente.

A differenza della maggior parte degli esseri umani, i pianeti e le stelle non hanno problemi a lavorare gratis.[2] Il Sole inonda di luce tutto il sistema solare, anche dove non c'è niente, e continuerà a

1 Per ulteriori informazioni su come sfruttare le fonti di energia all'aperto, si veda il capitolo 16: "Come rifornire d'energia una casa (sulla Terra)".

2 Anche se si dice in giro che Giove stia pensando di creare un *paywall*.

farlo per miliardi di anni ininterrottamente: a noi basta montare un pannello solare e catturarne una piccola quantità. All'interno, c'è meno energia da prelevare e quindi non è altrettanto facile, ma neppure impossibile. Ecco alcuni modi per catturare energia in un aeroporto o in un centro commerciale:

ACQUA

In un aeroporto magari non ci saranno veri fiumi, ma spesso c'è acqua corrente. L'acqua fuoriesce da rubinetti e fontanelle e non c'è motivo per cui non sia possibile usare quest'acqua per generare elettricità, come in una centrale idroelettrica.

Non è necessario costruire un'intera diga in miniatura.[3] Dato che ci pensa il sistema idrico dell'edificio a trattenere l'acqua in un serbatoio e a incanalarla nei tubi, possiamo fare a meno di tutto il resto e montare una turbina direttamente all'imboccatura del rubinetto o della fontanella. In realtà ci sono aziende che producono proprio turbine così, per far funzionare piccole apparecchiature collegate alle tubazioni, o semplicemente al posto di una valvola limitatrice di pressione, per estrarre dall'acqua energia utilizzabile. Tra la fine dell'Ottocento e l'inizio del Novecento molti edifici erano dotati di acqua corrente ma non di corrente elettrica, e questo tipo di generatori – chiamati "motori idraulici" o "dinamo idroelettriche" – godettero di una breve popolarità.

La quantità di energia disponibile da un tubo può essere sorprendentemente elevata. L'acqua in movimento trasporta molta energia e le turbine riescono a essere molto efficienti: le turbine piccole possono convertire l'80% dell'energia dell'acqua in elettricità e quelle grandi possono raggiungere rendimenti ancor più elevati. Un flusso d'acqua con una pressione di 200 chilopascal (cioè circa 2 atmosfere) e una portata di 15 litri al minuto può produrre oltre 40 watt di potenza, il che è abbastanza per alimentare diverse lampadine a LED, caricare decine di telefoni o persino tenere in funzione un piccolo laptop con varie schede del browser aperte.

In definitiva l'energia che state usando è fornita dalle pompe dell'azienda dell'acqua: sono loro a creare la pressione dell'acqua. Prima o poi qualcuno dell'aeroporto o del servizio idrico locale se ne

3 Ma se desiderate farlo, accomodatevi!

accorgerà, ma se anche non succedesse, 15 litri al minuto si accumulano rapidamente. Che l'acqua la paghiate voi o no, dovrete trovare un posto dove metterla.

Certo, visto che quei finger che portano agli aerei sono inclinati verso il basso...

ARIA

Purtroppo l'energia eolica non è la migliore da catturare al chiuso. Negli aeroporti circola molta aria, ma il "vento" che fluisce da un condotto di ventilazione generalmente porta molta meno energia rispetto all'acqua che scorre da un rubinetto ed è più difficile da catturare in modo efficiente. Un minuscolo mulino a vento delle dimensioni di un ventilatore portatile, collocato davanti alla griglia di un sistema di condizionamento dell'aria, genererebbe forse qualcosa come 50 milliwatt di elettricità, che non basterebbero nemmeno per mantenere carico un singolo telefono. Se anche copriste un'intera ventola di aerazione con i mulinelli, fareste fatica a ottenere una piccola percentuale della potenza che otterreste da un rubinetto.

Questo vale anche all'aperto: è più facile ottenere energia dai flussi d'acqua che da quelli d'aria. Il motivo per cui usiamo anche quest'ultima è che ce n'è di più. È possibile che in questo momento, mentre leggete, avvertiate un movimento d'aria, mentre è improbabile che vi troviate a mollo in un fiume. Il mondo ha più vento che fiumi; l'energia totale trasportata dai fiumi è dell'ordine di un terawatt, mentre quella contenuta nel vento è più vicina a un petawatt.

FUOCO

SCALE MOBILI

Le scale mobili forniscono energia a chi ci va sopra. Quando salite su una scala mobile e cominciate a muovervi verso l'alto, la scala deve consumare energia elettrica aggiuntiva per far funzionare i motori che vi sollevano. Questa energia vi viene trasferita sotto forma di energia potenziale. Se vi girate e tornate al piano di sotto scivolando giù per un mancorrente, arriverete ad alta velocità, avendo trasformato l'energia potenziale, ricevuta gratuitamente dai motori della scala mobile, in energia cinetica.

CAPITOLO 21

Come farsi un selfie

A volte consideriamo i nostri occhi come una coppia di macchine fotografiche, ma i sistemi visivi umani sono in realtà molto più sofisticati di qualsiasi fotocamera: è facile perdere di vista la complessità che c'è dietro, perché è tutto automatico. Guardiamo una scena, ci si forma un'immagine in testa e non ci rendiamo conto di quanta elaborazione, analisi e interazione servano per produrre quell'immagine.

Gli apparecchi fotografici generalmente vedono tutte le parti di un'immagine circa con la stessa risoluzione. Se scattate una foto di questa pagina con la fotocamera del telefono, una parola al centro dell'immagine sarà composta più o meno dallo stesso numero di pixel di una parola vicino al margine. Gli occhi, invece, non funzionano in questo modo: vedono quantità molto diverse di dettagli al centro della visione rispetto alla periferia. L'effettiva "griglia di pixel" dell'occhio ha un aspetto molto strano:

LA GRIGLIA DI PIXEL DI UNA FOTOCAMERA

LA "GRIGLIA DI PIXEL" DI UN OCCHIO

Il motivo per cui non notiamo questa grande differenza di risoluzione è che il nostro cervello ci è abituato. Il sistema visivo elabora l'immagine e ci dà un'impressione generale che quello che vediamo sia semplicemente l'aspetto della scena, la stessa cosa che vedrebbe una macchina fotografica. Il che funziona... fino a quando non iniziamo a confrontare la nostra immagine mentale con ciò che viene prodotto dalle vere fotocamere e scopriamo che ci sono molte variabili che il nostro cervello ha manipolato per noi dietro le quinte.

Uno dei modi in cui differiscono fotocamere e occhi è il diverso *campo visivo*. Questo concetto è responsabile di molte idee confuse nell'ambito della fotografia e ha effetti particolarmente significativi sui selfie.

Quando teniamo una fotocamera vicina al viso, i nostri lineamenti hanno un aspetto diverso. Per capire perché – e in che modo ciò influisce anche su ogni altra foto – parliamo della **superluna**.

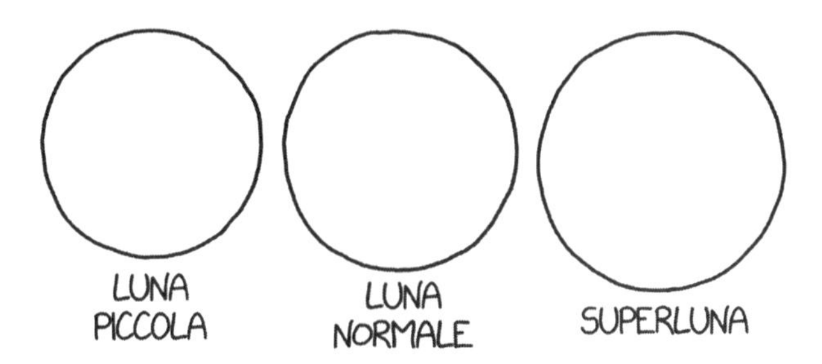

Di tanto in tanto si diffondono su internet storie virali con affermazioni fantasiose su qualche imminente fenomeno astronomico.

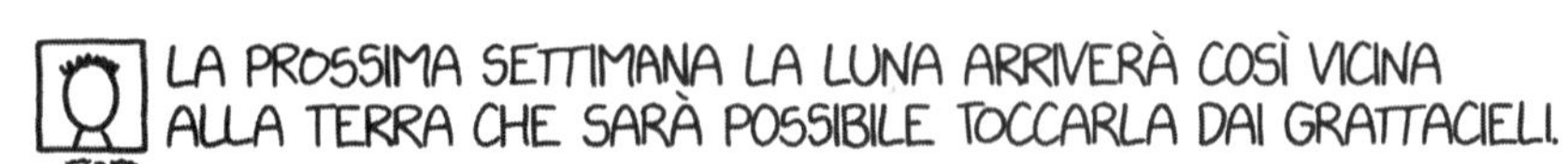

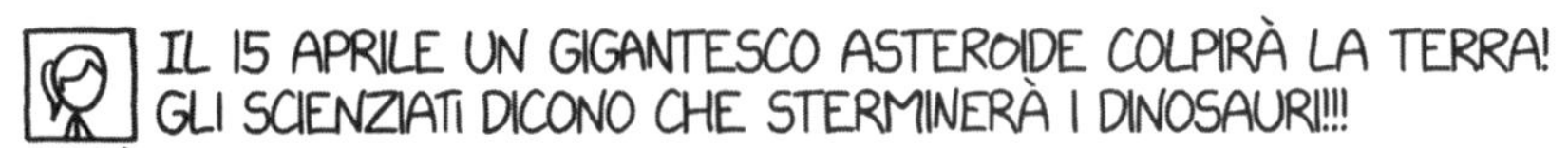

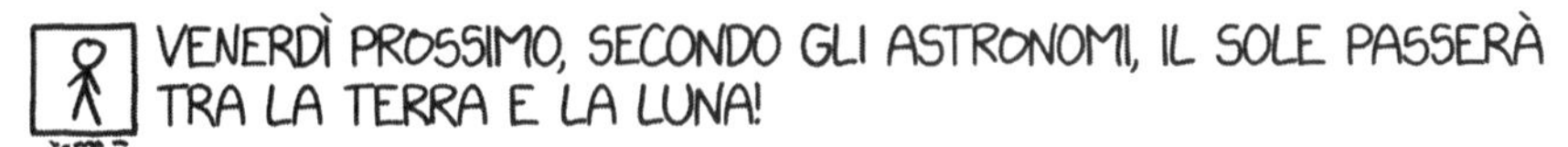

IL 4 OTTOBRE IL SOLE VERRÀ SPENTO PER 12 ORE PER PULIZIE ORDINARIE.

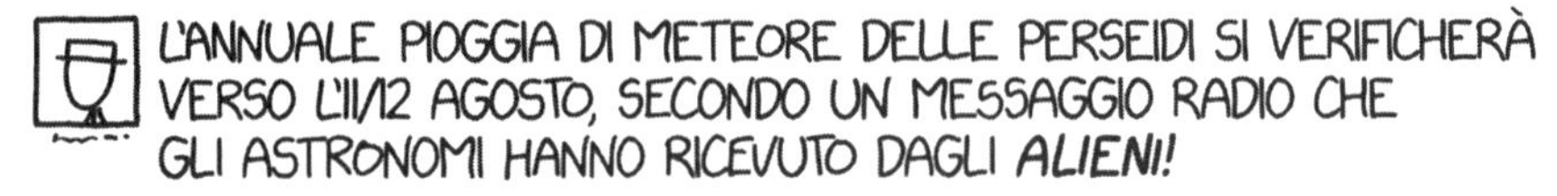

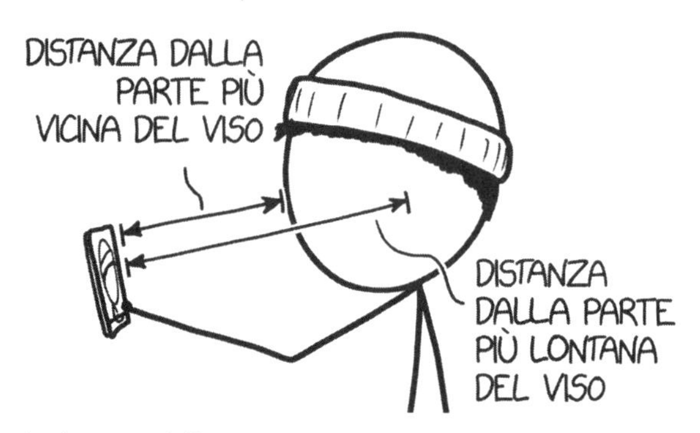

La differenza tra la distanza dalle parti visibili più vicine e più lontane del viso sarà sulla ventina di centimetri, cosicché la distorsione può cambiare molto a seconda che teniate la fotocamera a una distanza ravvicinata dal viso o allunghiate il braccio completamente. Tenendola a un metro e mezzo o poco più, si elimina quasi del tutto questo tipo di distorsione, ma non abbiamo le braccia abbastanza lunghe, il che aiuta in parte a spiegare la popolarità dei bastoni per selfie.

COME OTTENERE SELFIE MIGLIORI MANIPOLANDO IL CAMPO VISIVO

La distorsione prospettica può cambiare la dimensione relativa delle parti del viso, ma influenza le vostre foto anche in un altro modo, il che offre una nuova varietà di opzioni per i selfie.

Quando zoomate, si modifica la dimensione apparente degli oggetti sullo sfondo. Se vi trovate di fronte a un oggetto grande e lontano, come una montagna, lo zoom può influire notevolmente sulle dimensioni apparenti della montagna.

Se impostate il tempo di ritardo della fotocamera e ve ne allontanate, potete far sembrare enorme anche una montagna abbastanza piccola.

SELFIE CON LA LUNA

Le fotocamere per smartphone hanno zoom molto limitati, ma se avete un apparecchio fotografico con un potente teleobiettivo, potete farvi dei selfie molto interessanti e potete persino ricreare quelle foto con la Luna dietro lo skyline, ma con il vostro corpo al posto degli edifici.

Possiamo usare la geometria per capire quanto dev'essere lontana la fotocamera per farvi una foto davanti alla Luna.

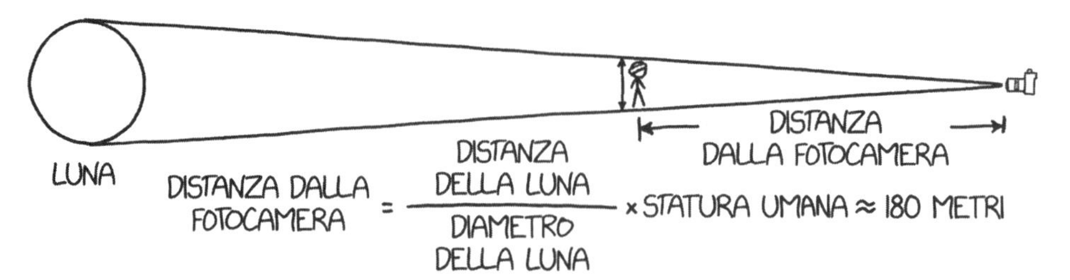

Questo ci dice che la fotocamera deve essere a circa 180 m di distanza per scattarsi un selfie con la Luna.

Dal momento che non fanno bastoni per selfie lunghi 180 m, probabilmente sarà meglio installare la macchina fotografica su un treppiede e attivarla con un telecomando.

Allineare una foto così può essere complicato; dovete trovare un'area con una posizione elevata in cui mettervi in posa e una lunga visuale sgombra nella direzione opposta rispetto alla Luna. La Luna si muove rapidamente: quindi, una volta allineato tutto, avrete solo una breve finestra temporale per scattare la foto, circa 30 secondi. Ci vogliono solo poco più di 2 minuti affinché la Luna si sposti completamente dalla sua posizione precedente.[1]

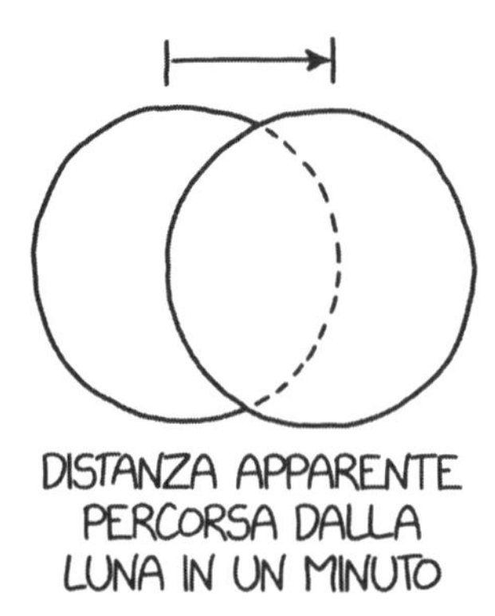

Con i filtri giusti, se state estremamente attenti, potete persino scattare un'analoga foto con il Sole. In questo modo potreste distruggere la vostra macchina fotografica: è meglio se prima di provarci consultate

1 Strumenti come Google Earth e le app con mappe del cielo come Stellarium e SkySafari vi possono aiutare a pianificare lo scatto.

un circolo locale di astrofili o un negozio di fotografia, altrimenti ci sono buone probabilità di dare fuoco alla fotocamera. E non guardate mai attraverso un mirino ottico quando puntate una fotocamera verso il Sole; l'occhio non funzionerà esattamente come una fotocamera, ma è altrettanto facile danneggiarlo.

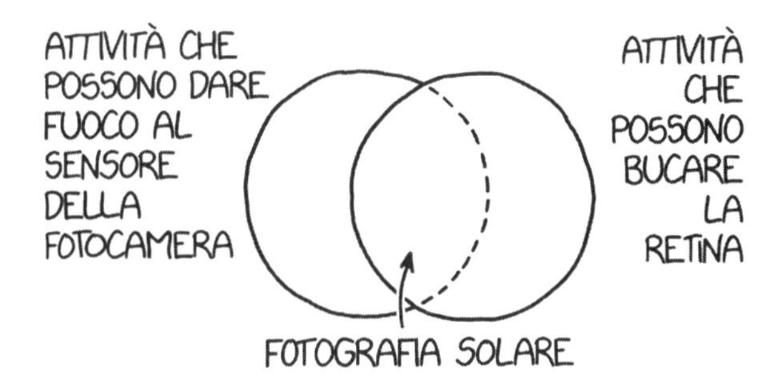

SELFIE CON VENERE O GIOVE

In linea di principio potete scattare una foto simile usando oggetti ancora più piccoli e distanti. Dopo il Sole e la Luna, i corpi celesti che appaiono più grandi nel cielo sono Giove e Venere che, quando sono vicini alla Terra e più visibili, hanno entrambi un diametro apparente di circa un minuto di grado. Usando la stessa configurazione geometrica dell'esempio con la Luna, possiamo calcolare a che distanza dovrete tenere la fotocamera per fare un selfie con Venere o Giove: circa 6,5 km.

Tenere una fotocamera a 6,5 km di distanza presenta qualche ovvia difficoltà.

La distorsione atmosferica è massima quando Venere è più vicina all'orizzonte, quindi è meglio che sia relativamente alta nel cielo, il che significa che dovrete trovarvi in posizione rialzata rispetto alla macchina fotografica. Anch'essa, però, dovrà stare abbastanza in alto, perché sia fuori dalla densa atmosfera.

Usando una stella lontana, i vostri amici vi possono scattare una foto da una distanza di un massimo di alcune centinaia di chilometri: non oltre perché la vostra ombra si perderebbe a causa della diffrazione. Se usate una sorgente distante di raggi X al posto della stella visibile, la lunghezza d'onda inferiore riduce gli effetti della diffrazione; è pensabile una foto in cui state in piedi sulla superficie della Luna mentre gli amici vi osservano da terra.

Ricordate solo una cosa: visto che gli allineamenti orbitali utilizzati per le occultazioni sono rari e di solito non si ripetono, è necessaria una pianificazione perfetta, e quindi avrete a disposizione un solo tentativo.

CAPITOLO 22

Come catturare un drone

(usando attrezzature sportive)

Vi ronza attorno un drone di quelli usati per le foto dei matrimoni. Non sapete che cosa stia facendo e volete che smetta.

Supponiamo che non abbiate con voi sofisticati strumenti antidrone, come lanciareti, fucili a pompa, disturbatori di onde radio, reti di nylon, droni antidroni o altre attrezzature specializzate.

Se però avete un rapace ben addestrato, potreste pensare che sia una buona idea lanciarlo contro il drone. Ogni tanto si vedono su internet filmati che mostrano rapaci ammaestrati che ghermiscono droni a mezz'aria. È un'idea che troviamo istintivamente soddisfacente, ma ogni metodo che prevede di contrastare macchine non autorizzate addestrando animali a scagliarcisi contro quasi sicuramente fa più male che bene. I limiti di velocità non si fanno rispettare addestrando i ghepardi a balzare contro le motociclette. Sarebbe crudele e pericoloso per i ghepardi, che per giunta sono molti meno delle motociclette. Il rapporto MOTOCICLETTE : GHEPARDI (M/G) sulla Terra non è mai stato calcolato con precisione, ma dovrebbe avere un valore pari a parecchie centinaia di migliaia.

La terza battuta ha colpito direttamente una delle eliche. Il drone ha girato su sé stesso, per un attimo è sembrato che potesse rimanere in aria, poi si è capovolto e si è schiantato sul campo. Serena s'è messa a ridere mentre Alexis si avvicinava per indagare sul luogo dell'incidente, dove il drone giaceva sul campo accanto a diversi frammenti di elica.

Mi aspettavo che un tennista professionista sarebbe stato in grado di colpire il drone in 5-7 tentativi; Serena ce l'ha fatta in tre.

Anche se è solo una macchina, un drone abbattuto a terra ha un aspetto stranamente tragico.

"Mi è veramente dispiaciuto fargli male," ha detto Serena, dopo che erano stati raccolti i pezzi. "Poveretto."

Non ho potuto fare a meno di interrogarmi: è sbagliato colpire un drone con una palla da tennis?

Ho deciso di chiederlo a un'esperta; ho contattato Kate Darling, etica robotica presso il MIT Media Lab, e le ho chiesto se sia accettabile scagliare palline da tennis contro un drone per divertimento.

Ha risposto: "Al drone non importa, ma ad altre persone potrebbe." Ha sottolineato che mentre i robot ovviamente non provano sentimenti, noi esseri umani sì. "Tendiamo a trattare i robot come se fossero vivi, anche se sappiamo che sono solo macchine. Quindi è meglio pensarci due volte prima di compiere violenza nei confronti dei robot, man mano che il loro aspetto diventa sempre più realistico; la gente potrebbe iniziare a provare un certo disagio."

Ha senso ma, d'altro canto, non rischiamo di renderci più vulnerabili?

"Se cerchi di punire il robot," è stata la risposta, "stai sbagliando bersaglio."

Non ha tutti i torti. Non è dei robot che dobbiamo preoccuparci, ma delle persone che li controllano. Se volete abbattere un drone, forse dovreste prendere in considerazione un obiettivo diverso.

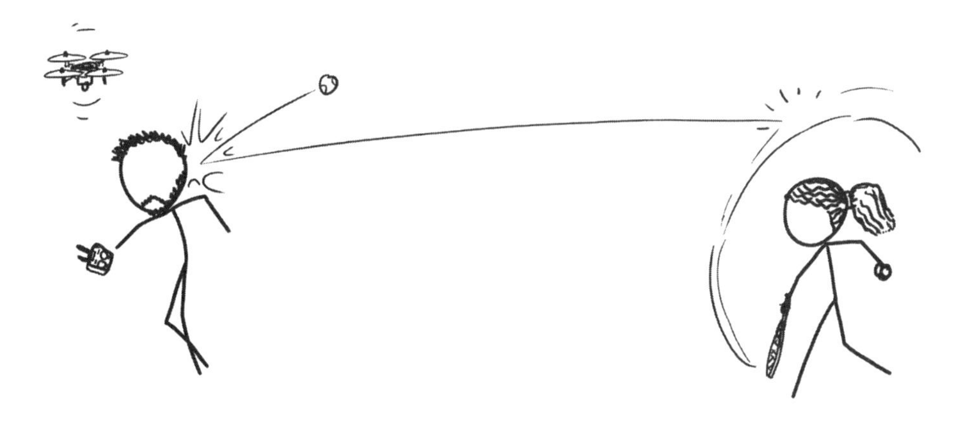

CAPITOLO 23

Come capire se sei un bambino degli anni novanta

Quando siete nati?

Per la maggior parte delle persone, questa è una domanda facile. Persino chi non conosce la data esatta di nascita sa, anno più anno meno, quando è nato.

Eppure internet è piena di quiz che promettono di svelare in che decennio siamo nati. In genere si basano su che cosa succedeva nella cultura pop americana nel momento in cui ci abbiamo fatto caso per la prima volta.

Ovviamente questi quiz non servono veramente a scoprire quando siamo nati. Vogliono darci la sensazione di fare parte di un gruppo accomunato da ricordi condivisi.

I film e le trasmissioni televisive per bambini sono particolarmente adatti a questo tipo di quiz, non solo perché i ricordi d'infanzia sono una fonte di nostalgia, ma anche perché gli spettacoli per bambini spesso hanno come target una fascia d'età molto ben delimitata e danno così luogo a sottili differenze "generazionali". La miscela di materiali mediatici con cui siamo cresciuti dà spesso un'impronta digitale unica che determina la nostra età con un margine di pochi anni. Le persone nate tra l'inizio e la metà degli anni ottanta, per esempio, possono ricordare come particolarmente formativi i primi film del "Rinascimento della Disney" – *La sirenetta* (1989), *La Bella e la Bestia* (1991) e *Aladdin* (1992) – mentre chi è nato alla fine dello stesso decennio può ricordare in modo più vivido e influente *Il Re leone* (1994) e *Toy Story* (1995). Le persone nate all'inizio degli anni ottanta erano troppo grandi per la mania dei Pokémon esplosa alla fine degli anni novanta, mentre quelle nate negli ultimi anni ottanta erano troppo giovani per ascoltare i New Kids on the Block.

Evidentemente c'è una certa richiesta per questi modi indiretti per identificare la propria età. Ma perché fermarsi a film e programmi TV? Il mondo cambia continuamente in modi che ci lasciano un segno.

I VARICELLA PARTY

La varicella è una malattia cutanea pruriginosa, causata dal virus varicella-zoster, che dura alcune settimane. Dopo che una persona è stata infettata una volta, in genere diventa immune per tutta la vita a nuove infezioni (anche se l'infezione latente può riacutizzarsi tempo dopo, causando una dolorosa eruzione cutanea chiamata herpes zoster o fuoco di Sant'Antonio).

Per la maggior parte del XX secolo praticamente tutti contraevano la varicella prima di raggiungere l'età adulta. Poiché è una malattia più grave negli adulti che nei bambini, i genitori preferivano che i loro figli venissero esposti presto, organizzando dei "varicella party", in modo che ottenessero l'immunità ed evitassero una rischiosa infezione in età avanzata. Poi tutto cambiò[1] nel 1995, quando è diventato disponibile un vaccino contro la varicella.

Nei dieci anni successivi alla sua introduzione, i tassi di vaccinazione contro la varicella sono saliti quasi al 100% e i casi di varicella sono scesi a picco.

1 Se vi aspettavate le parole "... quando la nazione del fuoco decise di attaccare!", avete un'età molto specifica. (La citazione si riferisce a *Avatar - La leggenda di Aang*, una serie animata statunitense trasmessa tra il 2005 e il 2008. È ambientata in un mondo immaginario in cui la popolazione è divisa in quattro nazioni corrispondenti ai quattro elementi: acqua, terra, fuoco e aria. *N.d.R.*)

Ecco un elenco di alcuni dei nomi statunitensi più comuni, specifici di un certo momento, per ogni lustro. Sono nomi che hanno avuto un picco relativamente ristretto di popolarità, nel giro di dieci anni o giù di lì. Se siete nati negli Stati Uniti intorno a quegli anni, sono nomi che hanno una maggior probabilità di sembrare comuni e generici a voi, mentre sono marcatori generazionali distintivi.

1880	*Will, Maude, Minnie, May, Cora, Ida, Lula, Hattie, Jennie, Ada*
1885	*Grover, Maude, Will, Minnie, Lizzie, Effie, May, Cora, Lula, Nettie*
1890	*Maude, May, Minnie, Effie, Mabel, Bessie, Nettie, Hattie, Lula, Cora*
1895	*Maude, Mabel, Minnie, Bessie, Mamie, Myrtle, Hattie, Pearl, Ethel, Bertha*
1900	*Mabel, Myrtle, Bessie, Mamie, Pearl, Blanche, Gertrude, Ethel, Minnie, Gladys*
1905	*Gladys, Viola, Mabel, Myrtle, Gertrude, Pearl, Bessie, Blanche, Mamie, Ethel*
1910	*Thelma, Gladys, Viola, Mildred, Beatrice, Lucille, Gertrude, Agnes, Hazel, Ethel*
1915	*Mildred, Lucille, Thelma, Helen, Bernice, Pauline, Eleanor, Beatrice, Ruth, Dorothy*
1920	*Marjorie, Dorothy, Mildred, Lucille, Warren, Thelma, Bernice, Virginia, Helen, June*
1925	*Doris, June, Betty, Marjorie, Dorothy, Lorraine, Lois, Norma, Virginia, Juanita*
1930	*Dolores, Betty, Joan, Billie, Doris, Norma, Lois, Billy, June, Marilyn*
1935	*Shirley, Marlene, Joan, Dolores, Marilyn, Bobby, Betty, Billy, Joyce, Beverly*
1940	*Carole, Judith, Judy, Carol, Joyce, Barbara, Joan, Carolyn, Shirley, Jerry*
1945	*Judy, Judith, Linda, Carol, Sharon, Sandra, Carolyn, Larry, Janice, Dennis*
1950	*Linda, Deborah, Gail, Judy, Gary, Larry, Diane, Dennis, Brenda, Janice*
1955	*Debra, Deborah, Cathy, Kathy, Pamela, Randy, Kim, Cynthia, Diane, Cheryl*
1960	*Debbie, Kim, Terri, Cindy, Kathy, Cathy, Laurie, Lori, Debra, Ricky*
1965	*Lisa, Tammy, Lori, Todd, Kim, Rhonda, Tracy, Tina, Dawn, Michele*
1970	*Tammy, Tonya, Tracy, Todd, Dawn, Tina, Stacey, Stacy, Michele, Lisa*
1975	*Chad, Jason, Tonya, Heather, Jennifer, Amy, Stacy, Shannon, Stacey, Tara*
1980	*Brandy, Crystal, April, Jason, Jeremy, Erin, Tiffany, Jamie, Melissa, Jennifer*
1985	*Krystal, Lindsay, Ashley, Lindsey, Dustin, Jessica, Amanda, Tiffany, Crystal, Amber*
1990	*Brittany, Chelsea, Kelsey, Cody, Ashley, Courtney, Kayla, Kyle, Megan, Jessica*
1995	*Taylor, Kelsey, Dakota, Austin, Haley, Cody, Tyler, Shelby, Brittany, Kayla*
2000	*Destiny, Madison, Haley, Sydney, Alexis, Kaitlyn, Hunter, Brianna, Hannah, Alyssa*
2005	*Aidan, Diego, Gavin, Hailey, Ethan, Madison, Ava, Isabella, Jayden, Aiden*
2010	*Jayden, Aiden, Nevaeh, Addison, Brayden, Landon, Peyton, Isabella, Ava, Liam*
2015	*Aria, Harper, Scarlett, Jaxon, Grayson, Lincoln, Hudson, Liam, Zoey, Layla*

Se i bambini della vostra classe si chiamavano Jeff, Lisa, Michael, Karen e David, allora probabilmente siete nati a metà degli anni sessanta. Se si chiamavano Jayden, Isabella, Sophia, Ava e Ethan, allora dovreste essere nati in qualche momento intorno al 2010.

Ma i nomi possono rivelare fatti sulla vostra età anche in altri modi.

I protagonisti del telefilm *Friends*, che esordì a metà degli anni novanta, erano sei amici interpretati da attori i cui nome erano Matthew, Jennifer, Courtney, Lisa, David e un altro Matthew. Ognuno di questi nomi ha la sua curva di popolarità; se le mettiamo tutte insieme possiamo fare un'ipotesi sugli anni in cui sono verosimilmente nati questi attori:

Gli attori sono nati in realtà alla fine degli anni sessanta, proprio agli inizi del periodo di popolarità dei loro nomi. In altre parole, gli attori hanno tutti nomi che arrivavano un po' prima del loro tempo. Courtney Cox e Jennifer Aniston avevano nomi che non si sarebbero diffusi fino a una decina d'anni dopo. (Forse le persone con genitori attenti alle tendenze hanno maggiori probabilità di dedicarsi alla recitazione.) I nomi sono comunque in generale coerenti con la loro epoca, anche se un po' in anticipo rispetto alla curva.

Otteniamo qualcosa di molto diverso se guardiamo i nomi dei loro personaggi: Phoebe, Joseph, Ross, Chandler, Rachel e Monica:

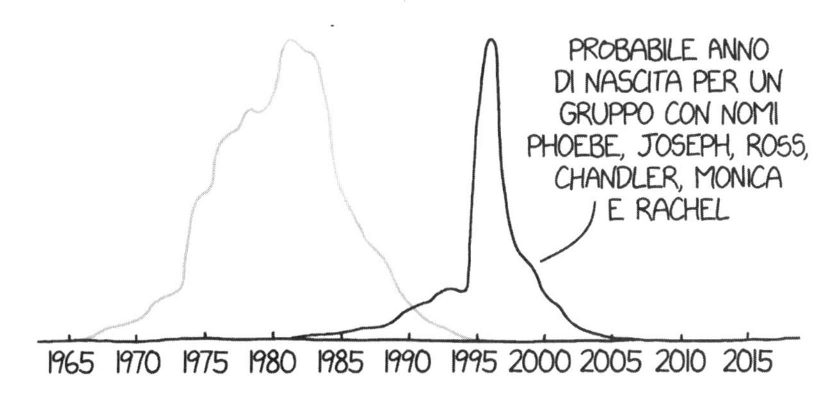

Il telefilm esordì nel 1994. C'è un chiaro picco nella popolarità dei nomi nel 1995 e nel 1996, che probabilmente si può attribuire al fatto che questo programma attirò l'attenzione dei neogenitori su questi nomi. Ma non si tratta solo del telefilm; questa combinazione di nomi era chiaramente in crescita negli anni precedenti all'esordio di *Friends*. È possibile che i genitori in cerca di nomi adatti ai figli siano influenzati da alcune delle stesse tendenze culturali che agiscono sugli autori televisivi in cerca di nomi adatti ai loro personaggi.

DENTI RADIOATTIVI

Gli esseri umani hanno inventato le armi nucleari nel 1945. Abbiamo fatto esplodere la prima per verificare se funzionavano, dopo di che ne abbiamo usate altre due in guerra. Una volta terminata la guerra, ne abbiamo fatto esplodere qualche migliaio solo per vedere che cosa succedeva.

Questi test ci hanno insegnato molto sulle armi nucleari. Una delle cose che abbiamo appreso è: "Far esplodere armi nucleari riempie l'atmosfera di polvere radioattiva." Abbiamo anche appreso che era possibile rendere le armi nucleari molto più potenti; anzi, non c'è praticamente alcun limite alla potenza che possono raggiungere, il che era un po' allarmante. Gli Stati Uniti e l'Unione Sovietica svilupparono rapidamente arsenali grandi a sufficienza, di fatto, per porre fine al mondo. Sapere che esseri umani lontani potevano innescare un'apocalisse di fuoco in qualsiasi momento, solo premendo un pulsante, lasciò una forte impressione sui bambini degli anni cinquanta e sessanta.

Ma l'impressione che lasciò non fu solo psicologica, bensì anche fisica.

La maggior parte delle esplosioni nucleari atmosferiche ebbero luogo tra la metà e la fine degli anni cinquanta, con alcune ancor più gigantesche nel 1961 e nel 1962. Viste le crescenti preoccupazioni per la contaminazione radioattiva, gli Stati Uniti e l'URSS concordarono di interrompere tutti i test in superficie e di limitarsi ai test sotterranei. Nel 1963 firmarono il Trattato sulla messa al bando parziale degli esperimenti nucleari, che pose fine all'era dei test nucleari atmosferici su larga scala. Nei decenni successivi, ci fu solo qualche altro test atmosferico da parte di Francia e Cina. L'ultima esplosione nucleare nell'atmosfera terrestre fu un test cinese il 16 ottobre 1980.[4]

I residui radioattivi rilasciati da queste esplosioni si diffusero in tutta l'atmosfera.

Erano composti da un'ampia varietà di elementi radioattivi: alcuni, come il cesio-137, si accumulano nel corpo umano e provocano il cancro; altri, come il carbonio-14, sono innocui per la salute umana, ma creano problemi agli archeologi scombussolando la datazione al carbonio.

Il carbonio-14 viene prodotto naturalmente dai raggi cosmici che interagiscono con l'atmosfera e decade in azoto-14 con un'emivita di circa 5700 anni. In ogni dato momento una piccola frazione del carbonio nell'atmosfera è carbonio-14; il resto è carbonio-12 e carbonio-13. A parte la sua emivita limitata, il carbonio-14 si comporta esattamente come i suoi cugini stabili e viene incorporato nel materiale organico[5] senza causare problemi. Quando un organismo muore, i suoi processi biologici smettono di scambiare carbonio con l'atmosfera e il carbonio-14 inizia a decadere. Misurando la quan-

4 Non so in che anno stiate leggendo questa frase; spero che sia ancora vero.

5 Dopotutto "organico" significa "a base di carbonio"!

tità di carbonio-14 rimasta in un campione archeologico, possiamo determinare da quanto tempo ha smesso di incorporare nuovo carbonio-14. In altre parole, possiamo capire quando è morto.

Questo trucco – la datazione al carbonio – è possibile solo se conosciamo la concentrazione di carbonio-14 nell'atmosfera quando l'organismo era vivo. Dato che il carbonio-14 è prodotto dai raggi cosmici, ci risulta che la sua concentrazione sia stata relativamente stabile nel tempo... fino a quando non siamo arrivati noi. I test nucleari hanno iniettato un'enorme quantità di carbonio-14 nell'atmosfera:

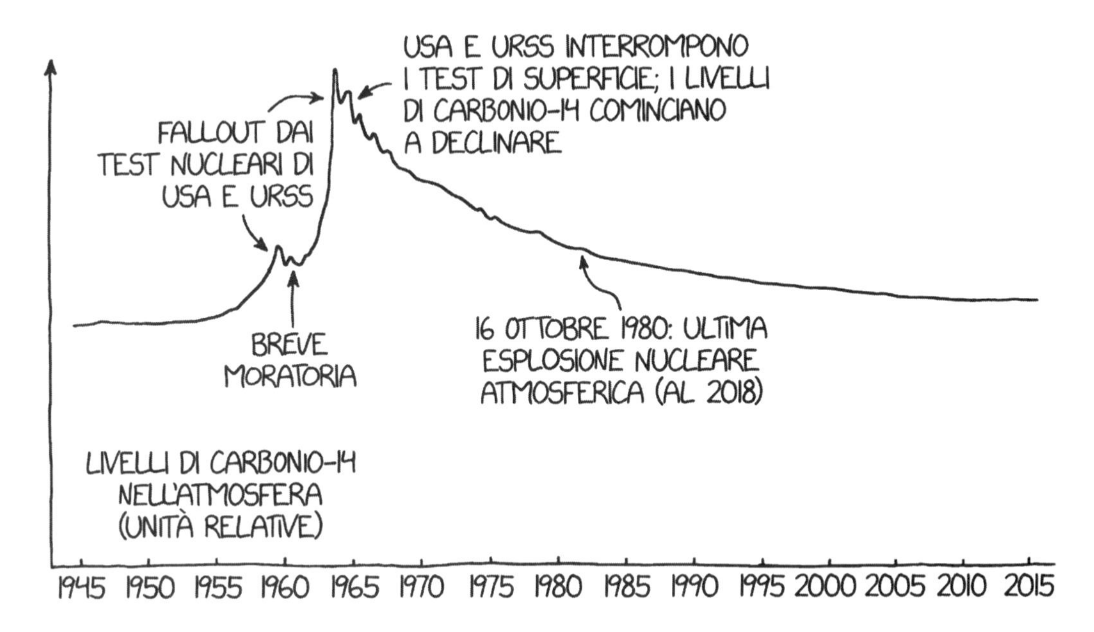

Se gli archeologi del futuro che vorranno datare campioni organici usando il carbonio non terranno conto dell'enorme picco del XX secolo, sbaglieranno tutte le datazioni.

I giochi con i nomi hanno però successo, a volte: basta chiedere a Bob Casey.

Dal 1960 al XXI secolo inoltrato, in Pennsylvania si è votato per *cinque diverse persone di nome Bob Casey* alle elezioni statali o federali, e non è del tutto certo che gli elettori abbiano sempre scelto il Bob Casey che avevano in mente.

Ecco una rapida descrizione dei Bob Casey della Pennsylvania:

- **Bob Casey n. 1:** avvocato di Scranton
- **Bob Casey n. 2:** funzionario del catasto della contea di Cambria
- **Bob Casey n. 3:** consulente per le pubbliche relazioni
- **Bob Casey n. 4:** maestro di scuola e gelataio
- **Bob Casey n. 5:** figlio di Bob Casey n. 1

A partire dagli anni sessanta Bob Casey n. 1 fu eletto in varie cariche statali, diventando rapidamente una stella nascente della politica della Pennsylvania. Nel 1976 nello stato si tennero le elezioni per il tesoriere. Bob Casey n. 1, allora revisore dei conti, si stava organizzando per la campagna elettorale come governatore nel 1978 e quindi decise di non candidarsi come tesoriere... cosa che invece fece Bob Casey n. 2, funzionario della contea di Cambria.

Lo stesso anno Bob Casey n. 3 si candidò al Congresso nel 18° distretto della Pennsylvania. Secondo il suo avversario cercava solo di sfruttare la popolarità di Bob Casey n. 1. Bob Casey n. 3 ribatté che era Bob Casey n. 2 che provava ad approfittare della popolarità collettiva sua e di Bob Casey n. 1, i *veri* Casey. Bob Casey n. 3 divenne effettivamente il candidato dei repubblicani, ma fu battuto alle elezioni dal candidato democratico.

Per quanto riguarda Bob Casey n. 2, nonostante una campagna elettorale ridottissima, vinse anch'egli le sue primarie, sconfiggendo Catherine Knoll – la candidata sostenuta dal partito – e vari altri. La campagna della Knoll era costata 103.448 dollari, quella di Casey 865.

Casey vinse poi anche le elezioni vere e proprie e ricoprì per quattro anni la carica di tesoriere. I repubblicani iniziarono una campagna per informare gli elettori che "Bob Casey" non era chi pensavano che fosse e nel 1980 il loro candidato, Budd Dwyer, sconfisse Casey n. 2.[2]

Nel 1978, durante il mandato di Bob Casey n. 2 come tesoriere, Bob Casey n. 1 cercò di conquistare il posto di governatore. Purtroppo per lui, fu lo stesso anno in cui apparve in scena Bob Casey n. 4, maestro di scuola e gelataio di Pittsburgh. Bob Casey n. 1 si candidò come governatore, mentre Bob Casey n. 4 si propose come vicegovernatore nelle stesse primarie. Gli elettori, forse pensando che Bob Casey n. 1 si stesse rendendo disponibile per entrambe le cariche,[3] nominarono come candidato vicegovernatore Bob Casey n. 4, mentre preferirono Pete Flaherty rispetto a Bob Casey n. 1 come governatore. Alla fine, la lista Flaherty-Casey n. 4 perse le elezioni generali.

Nel 1986 Bob Casey n. 1 si candidò nuovamente come governatore, definendosi "Il vero Bob Casey" e finalmente vinse.[4] Fu governatore per otto anni prima di lasciare l'incarico nel 1994. Due anni dopo, Bob Casey n. 5 – suo figlio, Bob Casey Jr. – si candidò come revisore dei conti e vinse. In seguitò diventò tesoriere di stato e infine senatore, carica a cui è stato rieletto nel 2018.

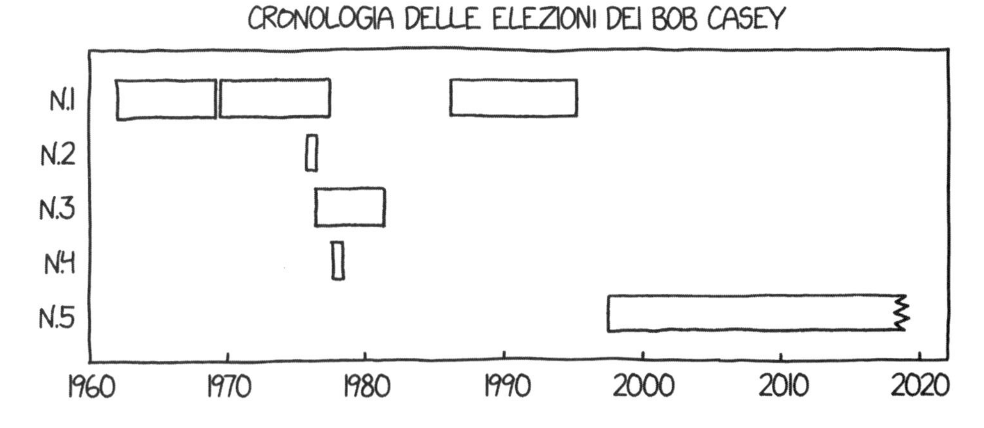

Quindi, se avete intenzione di presentarvi a qualche elezione, provate a cambiare il vostro nome in Bob Casey. Non si sa mai!

2 Catherine Knoll sarebbe stata eletta tesoriera più tardi, nel 1988, e in seguito avrebbe anche assunto la carica di vicegovernatrice.

3 O forse pensavano che il tesoriere dello stato, Bob Casey n. 2, si proponesse come governatore a metà mandato.

4 Vinse con l'aiuto dello stratega elettorale James Carville, che in seguito avrebbe contribuito alla fortunata campagna presidenziale di Bill Clinton.

CONVINCERE UN MUCCHIO DI ELETTORI A SOSTENERVI

Vincere le elezioni è difficile. La verità è che le persone sono complicate, ce ne sono molte e nessuno è mai sicuro al 100% del perché fanno quello che fanno né di che cosa faranno.

Ma se il vostro obiettivo è semplicemente vincere un'elezione, come regola generale dovreste essere *favorevoli* alle cose che piacciono agli elettori e *contrari* a quelle che non piacciono. Per farlo, dovrete capire che cosa piace e che cosa non piace agli elettori.

Uno degli strumenti più diffusi per capire cosa pensa l'opinione pubblica sono i sondaggi d'opinione: si parla con un gruppo di persone, si chiede loro che cosa pensano e si tiene conto dei risultati.

Il sito web FiveThirtyEight ha condotto un esperimento in cui dei professionisti scrivevano un discorso che doveva semplicemente *assecondare* il più possibile: formulare dichiarazioni sostenute dalla maggior parte degli elettori, che assecondassero le idee di un partito o l'elettorato in generale.

Ma su che cos'è che siamo maggiormente d'accordo? Se il vostro obiettivo è semplicemente quello di essere a favore delle cose popolari e contrari alle cose impopolari, su che cosa dovreste basare una campagna? Quali sono le questioni meno controverse?

Per cercare di capirlo, ho contattato Kathleen Weldon, direttrice delle operazioni sui dati e delle comunicazioni presso il Roper Center for Public Opinion Research della Cornell University, per commissionare un sondaggio sui loro sondaggi. Il Roper Center mantiene un enorme database di sondaggi d'opinione: oltre 700.000 domande che coprono quasi un secolo di sondaggi d'opinione, raccolti da quasi ogni organizzazione che abbia mai condotto un sondaggio pubblico negli Stati Uniti.

Ho detto loro che mi interessavano le domande del loro database di sondaggi che avevano le risposte più omogenee, quelle in cui praticamente tutti hanno dato la stessa risposta. Sono quindi in un certo senso le questioni meno controverse in assoluto.

I ricercatori del Roper ha setacciato il loro database di 700.000 domande e hanno redatto un elenco delle domande a cui almeno il 95% degli intervistati ha dato la stessa risposta.

È piuttosto raro che molti intervistati siano d'accordo su *alcunché* in un sondaggio. Una piccola percentuale di intervistati sceglierà comunque risposte ridicole perché non prende sul serio il sondaggio o perché fraintende la domanda. Le domande con risposte così omogenee sono rare anche perché nessuno si prende la briga di condurre un sondaggio su un argomento non controverso, a meno che non voglia dimostrare qualcosa. Dal momento che tutti quelli presenti nel database del Roper sono argomenti su cui qualche persona o organizzazione ha deciso di commissionare un sondaggio, significa che sono almeno *potenzialmente* controversi, se non nei fatti.

Ecco una scelta degli argomenti più pacifici nella storia dei sondaggi d'opinione. Se volete candidarvi per qualche carica, queste sono opinioni che potete tranquillamente abbracciare con la consapevolezza che c'è almeno un sondaggio scientifico che offre un'enorme maggioranza di gente che la pensa allo stesso modo:

Opinioni popolari

Secondo dati oggettivi (testo completo delle domande nei riferimenti bibliografici)

Il **95%** disapprova le persone che usano il cellulare nei cinema.
(Sondaggio dell'American Trends Panel del Pew Research Center, 2014)

Il **97%** ritiene che dovrebbero esserci leggi contro gli SMS durante la guida.
(Sondaggio *The New York Times* / CBS News, 2009)

Il **96%** ha un'opinione positiva sulle piccole imprese.
(Sondaggio Gallup, 2016)

Il **95%** ritiene che i datori di lavoro non debbano poter accedere al DNA dei propri dipendenti senza permesso.
(Sondaggio *Time* / CNN / Yankelovich Partners Poll, 1998)

Il **95%** è a favore di leggi contro il riciclaggio di denaro che ha a che fare con il terrorismo.
(Sondaggio ABC News / *Washington Post*, 2001)

Il **95%** pensa che i medici debbano avere una licenza per esercitare.
(Private Initiatives & Public Values, 1981)

Il **95%** sarebbe favorevole a una guerra se gli Stati Uniti venissero invasi.
(Harris Survey, 1971)

Il **96%** si oppone alla legalizzazione del "crystal meth" (metanfetamina).
(Sondaggio internazionale CNN / ORC International, 2014)

Il **95%** è soddisfatto dei propri amici.
(Sondaggio Associated Press / Media General, 1984)

Il **95%** afferma che "se fosse disponibile una pillola che rende belli il doppio e intelligenti la metà" non la prenderebbero.
(Sondaggio *Men's Health*, 2000)

Il **98%** ritiene che i bagnini debbano prestare attenzione ai bagnanti piuttosto che leggere o parlare al telefono.
(Sondaggio sulla sicurezza delle acque della Croce Rossa statunitense, 2013)

Il **99%** ritiene che sia sbagliato che i dipendenti rubino apparecchi costosi dal posto di lavoro.
(Sondaggio *Wall Street Journal* / NBC News, 1995)

Il **95%** pensa che sia sbagliato pagare qualcuno per redigere una tesina scolastica.
(Sondaggio *Wall Street Journal* / NBC News, 1995)

Il **98%** vorrebbe vedere un calo della fame nel mondo.
(Harris Survey, 1983)

Il **97%** vorrebbe vedere un calo del terrorismo e della violenza.
(Harris Survey, 1983)

Il **98%** vorrebbe vedere un calo dei tassi di disoccupazione.
(Harris Survey, 1982)

Il **97%** vorrebbe vedere la fine di tutte le guerre.
(Harris Survey, 1981)

Il **95%** vorrebbe vedere un calo dei pregiudizi.
(Harris Survey, 1977)

Il **95%** non crede che le Magic Eight Ball[5] possano predire il futuro.
(Sondaggio Shell, 1998)

Il **96%** ritiene che le Olimpiadi siano una grande competizione sportiva.
(Sondaggio *Atlanta Journal Constitution*, 1996)

Potete usare questo elenco per mettere insieme i punti chiave di una campagna elettorale. Per esempio, potete adottare una posizione salda contro la fame, la guerra e il terrorismo; a favore dell'amicizia e delle piccole imprese; e contro gli SMS durante la guida. Potete appoggiare le leggi che impongono che i medici siano dotati di una licenza per esercitare e si oppongono alle invasioni da parte di altre nazioni.

5 Giocattolo a forma di palla da biliardo che dà una risposta a caso a una domanda: "Certamente", "Chiedilo di nuovo più avanti", "Direi di no" e così via. (*N.d.T.*)

D'altra parte, se volete *perdere* un'elezione nel modo più spettacolare possibile, questo elenco può dare indicazioni ancora più utili. Adottando la posizione opposta su ogni questione, potreste condurre la campagna più impopolare nella storia della politica. Probabilmente perderete, ma in un mondo che ha nominato almeno cinque diversi Bob Casey, chi può dirlo?

UN VOTO PER ME È UN VOTO A FAVORE DELLA DISOCCUPAZIONE, DELLA GUERRA, DEI FURTI SUL LAVORO E DEGLI SMS DURANTE LA GUIDA. SONO CONVINTO CHE LA VOCE DI OGNI CITTADINO DEBBA RISUONARE IN OGNI CINEMA DELLA NAZIONE. SE MI ELEGGERETE MI IMPEGNO A PORRE FINE ALLE OLIMPIADI UNA VOLTA PER TUTTE.

IL MIO GOVERNO AUMENTERÀ LE TASSE PER LE PICCOLE IMPRESE E USERÀ IL DENARO PER INSTALLARE UNA CONSOLLE DI VIDEOGIOCHI IN OGNI POSTAZIONE DI BAGNINO DELLA NAZIONE. PRODURREMO E VENDEREMO METANFETAMINA E USEREMO IL RICAVATO PER DARE AGEVOLAZIONI FISCALI A CHIUNQUE ESERCITI ABUSIVAMENTE LA PROFESSIONE MEDICA. CI DEDICHEREMO AL RICICLAGGIO DI DENARO, MA SOLO PER SOSTENERE IL TERRORISMO. OGNI DECISIONE DEL MIO GOVERNO VERRÀ PRESA AFFIDANDOCI A UNA MAGIC EIGHT BALL. SE LA NOSTRA NAZIONE VERRÀ INVASA MI ARRENDERÒ IMMEDIATAMENTE.

VOTATE PER ME SE AMATE LA FAME. VOTATE PER ME SE ODIATE I VOSTRI AMICI. E SE VOTERETE PER ME VI PROMETTO QUESTO: OGNUNO DI VOI SARÀ BELLO IL DOPPIO E INTELLIGENTE LA METÀ.

La lezione che ci viene dalla storia è chiara: prima di tagliare un albero, assicuratevi che non sia il più vecchio del mondo, sennò ci sarà gente che si arrabbia davvero.

Dopo la caduta di Prometheus, il più antico albero conosciuto è un altro pino dai coni setolosi, soprannominato "Methuselah" (Matusalemme). Nel 2019 Methuselah aveva almeno 4851 anni, il che significa che ha superato di recente il primato di Prometheus.

Queste età vengono determinate dall'esame di campioni del midollo e quindi si ottiene solo un limite inferiore all'età reale, poiché alcune delle parti più giovani dell'albero potrebbero non essere rappresentate nel midollo. I ricercatori della University of Arizona hanno ottenuto pezzi del tronco di Prometheus e hanno determinato che aveva quasi esattamente 5000 anni quando è stato abbattuto. Ciò significa che era... nato?... spuntato?... germogliato?... sbocciato?... intorno al 3037 a.e.v., seguito da Methuselah qualche decennio dopo. All'epoca in cui nascevano questi pini, dall'altra parte del mondo c'era chi stava sviluppando i primi sistemi di scrittura noti, i sumeri.[2]

Chiaramente la comunità forestale spera di evitare un altro incidente Prometheus. Methuselah non è esattamente sotto guardia armata 24 ore su 24, ma la sua esatta identità e posizione sono segrete, per evitare che venga danneggiato dai cacciatori di souvenir o, forse, dai serial killer di alberi.

2 C'è un altro albero, datato dal dendrocronologo Tom Harlan, che è forse leggermente più vecchio di Methuselah e di Prometheus, ma il suo primato è contestato: l'organizzazione Rocky Mountain Tree-Ring Research non è stata in grado di individuarne il midollo per verificare l'età.

Questi pini dai coni setolosi sono qualcosa di unico, ma come alberi di Natale non sarebbero un granché. Potreste pensare che gli alberi più longevi siano quelli che crescono negli ambienti più sani e accoglienti, mentre sorprendentemente è vero il contrario. Gli alberi più vecchi tendono a essere quelli che crescono nelle peggiori condizioni, non nelle migliori. Quando uno di questi pini si trova in un ambiente particolarmente aspro, che lo flagella con il freddo, il caldo, il vento e il sale, l'albero rallenta la crescita e lo sviluppo, il che ne allunga la durata della vita. Non sono niente di speciale a guardarli: i più vecchi sembrano alberi morti, con solo una sottile striscia di corteccia che sale su un lato e dà sostentamento a pochi rami che si aggrappano alla vita. Questi alberi secolari non sono immortali: hanno solo capito come fare per morire lentamente.

D'accordo, l'albero più vecchio del mondo sarebbe un brutto albero di Natale; e quello più alto, allora?

Periodicamente qualche città afferma di ospitare l'albero di Natale più alto al mondo. Secondo il *Guinness World Records*, questo titolo appartiene a un abete di Douglas alto 67 m, eretto nel 1950 in un centro commerciale a Seattle. Ovviamente, come tutti questi primati apparentemente banali, se si scava un po' più a fondo si scopre una polemica sgradevole. Nel 2013 il *Los Angeles Times* ha pubblicato un servizio sui grandi alberi di Natale in cui John Egan, proprietario di una fattoria di alberi, accusava il record di Seattle di essere falso, affermando che il primatista non era un vero albero, bensì era stato costruito con diversi alberi. Secondo Egan il vero detentore del record è un albero di 41 m eretto dalla sua azienda nel 2007.

Indipendentemente da chi sia il vero detentore del primato, Egan fa notare che sarebbe abbastanza facile batterlo: è sufficiente abbattere un albero più alto, e ce ne sono molti che superano entrambi i contendenti.

L'albero più alto conosciuto è una sequoia soprannominata "Hyperion". Scoperta nel 2006, è alta appena meno di 116 m.[3] I pini dai coni setolosi non sono gli unici alberi primatisti che si trovano in un programma di protezione dei testimoni: anche la posizione esatta di Hyperion viene mantenuta nascosta per proteggerlo dai pericoli, ammesso che sia possibile nascondere qualcosa di così alto.

3 Come si misura un albero del genere? Potreste pensare che si usi il GPS o dei laser o roba del genere, e invece no: i ricercatori si arrampicano e fanno pendere un metro fino a terra.

Ci sono comunque vari alberi con un'altezza simile. Prima che nel 2006 venisse annunciata l'altezza di Hyperion, il detentore del record era lo "Stratosphere Giant" di 113 m, un'altra sequoia del nord della California.

Ci sono molti altri alberi vicini a Hyperion con un'altezza del genere, superiore ai 110 m, e ognuno andrebbe benone come albero di Natale. Dopotutto, chi mai se la prenderà perché avete abbattuto il *secondo* albero più alto al mondo?

METTERE IN MOSTRA L'ALBERO

Dove potete esibire il vostro albero? Probabilmente non entrerà in casa vostra. Anzi, sono pochissimi gli edifici in cui potrà entrare.

La rotonda del Campidoglio degli Stati Uniti (55 m) e le cupole delle più alte arene sportive (circa 80 m) sono troppo basse per contenere un albero di Natale fatto con una di queste sequoie. Anche le lunghe navate delle più grandi cattedrali, con un'altezza di 40 o 50 m, non bastano. Un albero delle dimensioni di Hyperion potrebbe entrare a malapena sotto la cupola della basilica di San Pietro, ma solo se infiliamo la cima nella lanterna sulla sommità della cupola.

A Halbe, in Germania, a sudest di Berlino, c'è un ex hangar per dirigibili che è stato convertito in un parco a tema tropicale. È dotato di circa 200 m di spiagge sabbiose; una sezione di foresta pluviale e un parco acquatico. Sfortunatamente, la volta è troppo bassa perché ci entrino le sequoie più alte. Ci potreste sistemare un albero, ma prima dovreste fare un buco nel pavimento.

TROPICAL ISLANDS RESORT (HANGAR PER DIRIGIBILI AERIUM)

Esiste qualche edificio con ambienti grandi a sufficienza per contenere un albero di Natale costituito da una sequoia. La basilica di Nostra Signora della Pace, a Yamoussoukro, in Costa d'Avorio, è probabilmente uno di questi, e così gli atri di diversi grattacieli, tra cui il Burj al-Arab di Dubai (180 m) e il Leeza SOHO di Pechino (190 m).

Se anche i proprietari volessero ospitare il vostro albero di Natale, portarlo dentro sarebbe difficile, poiché gli atri di questi edifici sono privi delle porte giganti necessarie.

Forse l'edificio ideale per ospitare un gigantesco albero di Natale si trova nel Sudest degli Stati Uniti, sulla costa orientale della Florida.

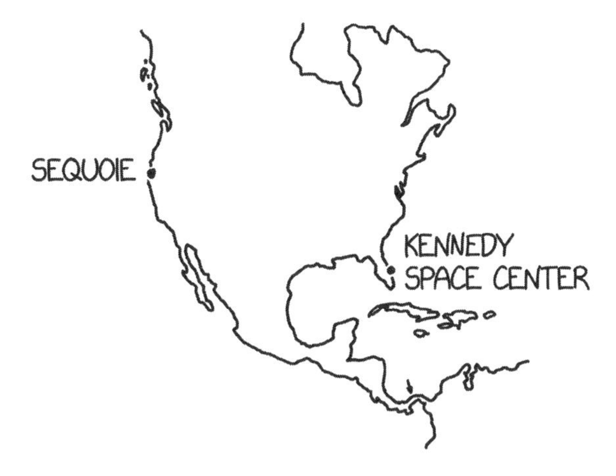

La NASA ha costruito il Vehicle Assembly Building (VAB) a Cape Canaveral come luogo di preparazione dei missili Apollo e degli space shuttle per il lancio. È uno dei più grandi edifici al mondo per volume, alto a sufficienza per ospitare il vostro albero di Natale. Ma, soprattutto, c'è un modo per far entrare l'albero: è dotato delle porte più alte del mondo.

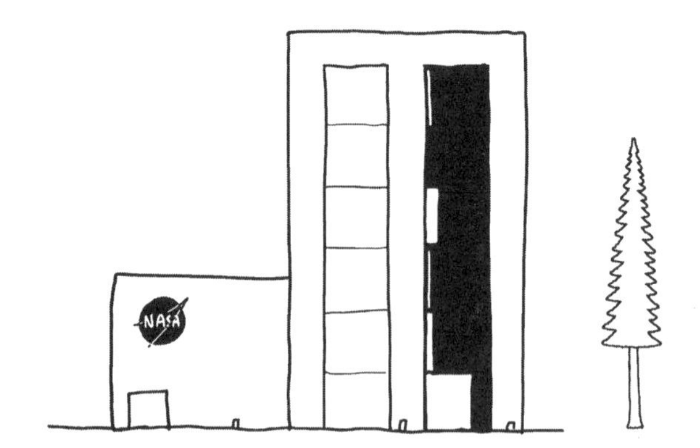

Il modo più semplice per arrivarci è probabilmente via nave. Fortunatamente, il canale di Panama è abbastanza grande da far passare un'imbarcazione che trasporta una sequoia di 110 m intatta sdraiata.

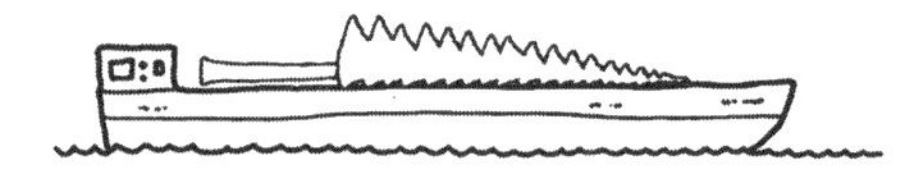

Il VAB si adatta perfettamente al nostro albero per una semplice ragione: è stato progettato per contenere l'enorme missile *Saturn V* che portò gli astronauti delle missioni Apollo sulla Luna; questo missile aveva quasi le stesse dimensioni dell'albero più alto del mondo.

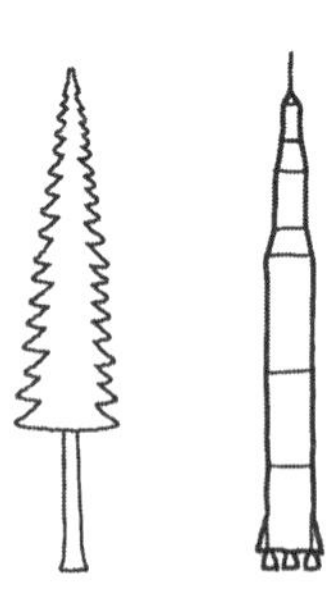

Quando era completamente carico di carburante, il *Saturn V* era significativamente più pesante di un albero grande come Hyperion. Poiché i motori del missile sono in grado di sollevarlo, ne segue che se li attaccaste all'albero, potrebbero sollevarlo.

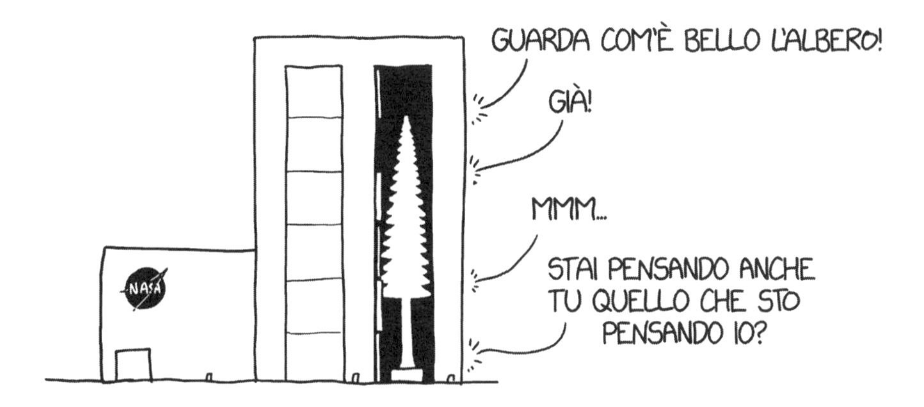

Una coppia di razzi "booster" ai lati dell'albero produrrebbe una spinta più che sufficiente per sollevarlo.

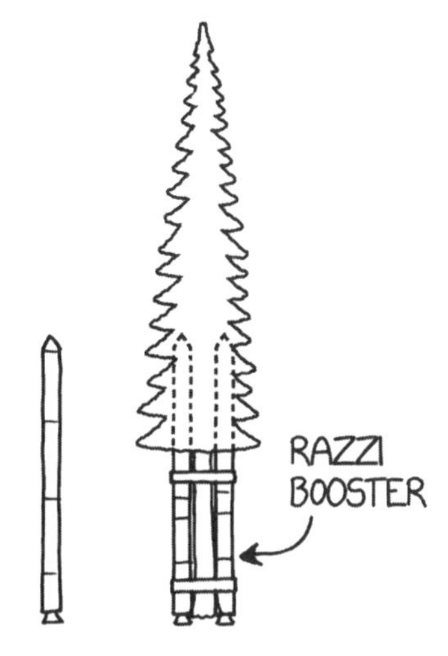

L'albero stesso avrebbe bisogno di un supporto extra. Intanto, soffrirà per l'estrema accelerazione verticale; le sequoie, gli alberi più alti del mondo, normalmente devono solo resistere alla gravità, mentre il lancio di un razzo può sottoporre l'albero a vari *g* di accelerazione aggiuntiva, raddoppiando o triplicando la forza di gravità apparente e rischiando di deformare il fusto.

Per l'albero le cose vanno un po' meglio se lo tiriamo invece di spingerlo. Il legno, come molti materiali, ha una resistenza alla trazione maggiore che alla compressione. Se fissiamo i booster a metà altezza del tronco, il legno nella metà inferiore sarà sotto tensione, poiché è sospeso sotto i razzi, mentre solo la parte superiore sarà sotto compressione. Aggiungendo supporti lungo l'albero, lo possiamo mantenere stabile e impedire che collassi.

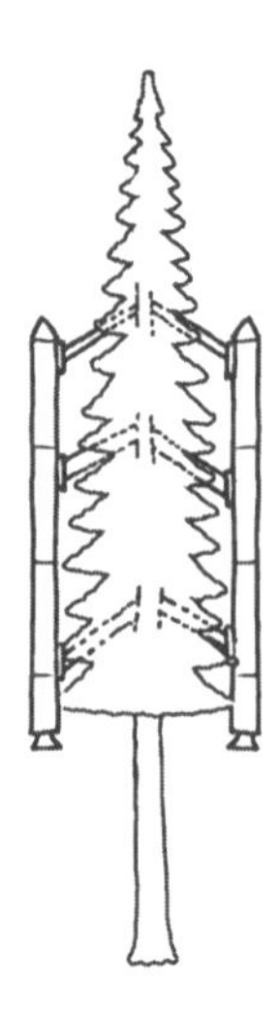

I razzi non sarebbero in grado di far andare l'albero a una velocità sufficiente perché rimanga in orbita, ma lo potreste lanciare lungo una traiettoria suborbitale che lo faccia passare sopra tutte le altre città che affermano di avere l'albero di Natale più alto del mondo.

E il vostro albero sarebbe decorato con stelle vere.

Come costruire un'autostrada

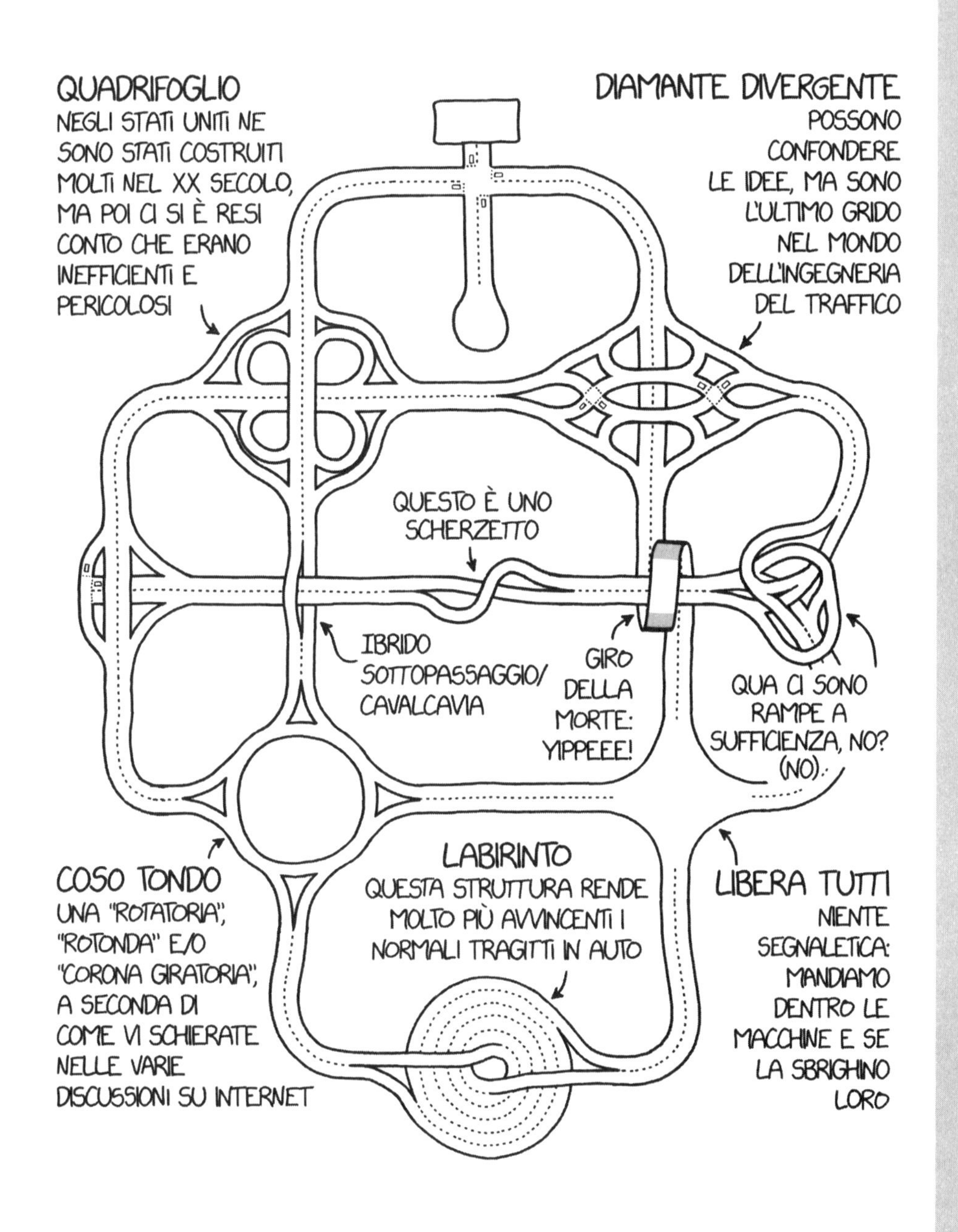

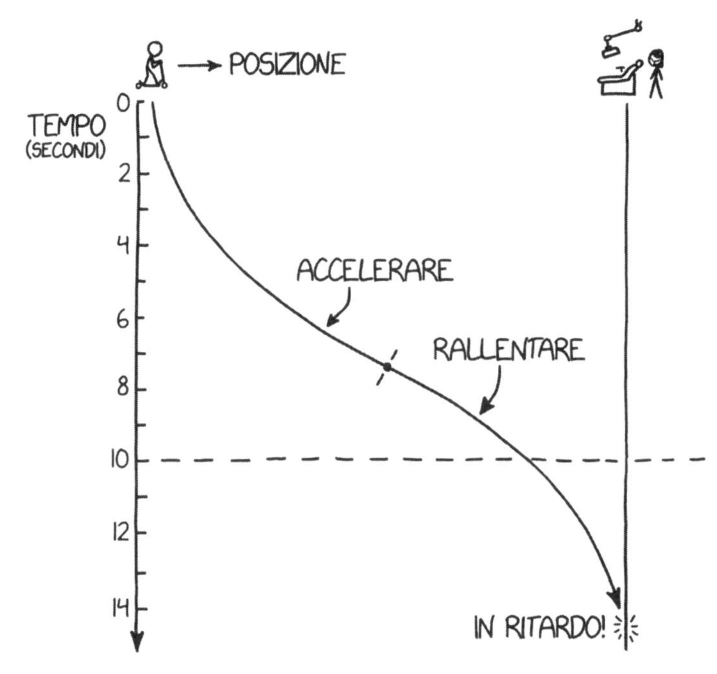

I limiti affrontati dal nostro monopattino magico valgono per qualsiasi metodo di trasporto, dai tapis roulant ai treni ad alta velocità e ai futuristici trasferimenti di persone in un tubo a vuoto, perché sono legati alla biologia umana. Nessun sistema di trasporto sarà *mai* in grado di portare qualcuno da una data posizione a una destinazione a 500 m di distanza in meno di 10 secondi senza farlo accelerare orizzontalmente più di 1 *g*.

RAGGI DI TRASPORTO FONDAMENTALI
1 SECONDO
5 METRI 5 METRI
5 SECONDI
120 METRI 120 METRI
10 SECONDI
500 METRI 500 METRI

E se l'appuntamento è più lontano? In quanto tempo ci potete arrivare con il monopattino?

A 1 *g* di accelerazione continua, la velocità aumenta rapidamente. Se fate un viaggio di un minuto a 1 *g* di accelerazione – accelerando per 30 secondi e rallentando per 30 secondi – potete percorrere quasi 9 km. La velocità massima, a metà del viaggio, sarebbe vicina a quella del suono.

I treni reali non viaggiano a velocità quasi supersoniche, ma ciò non è dovuto a limitazioni fisiche intrinseche. Una piattaforma su una rotaia si può facilmente accelerare fino a velocità elevatissime usando la propulsione elettromagnetica o razzi. Le slitte a razzo su rotaie presso la Holloman Air Force Base nel Nuovo Messico, per esempio, sono arrivate a oltre Mach 8, cioè otto volte la velocità del suono, più di qualsiasi aereo a reazione. Per raggiungere queste velocità le slitte accelerano molto più di 1 *g* e hanno bisogno di una pista lunga circa 15 km.

A velocità vicine a quella del suono la resistenza all'aria diventa un problema inevitabile: è difficile per un veicolo essere efficiente quando spreca tanta energia per farsi strada nell'aria. Ecco perché i veicoli più veloci tendono a operare nella parte alta dell'atmosfera, dove l'aria è meno densa, o in tubi a vuoto. Il vostro monopattino magico, con la sua accelerazione illimitata, non affronta nessuno di questi problemi, ma si spera che abbia anche un buon parabrezza protettivo. (È meglio se chiedete scusa a tutti i presenti per i boom sonici.)

In 5 minuti con uno scooter da 1 *g* potete percorrere 220 km, raggiungendo una velocità oltre Mach 4. In 10 minuti, potreste viaggiare per quasi 900 km, raggiungendo Mach 8. E in 48 minuti, potreste fare metà del giro del mondo.[2] Questo è il limite fondamentale per i viaggi attorno al mondo: se volete costruire un sistema che trasporta la gente in qualsiasi parte del pianeta in meno di 48 minuti, dovrete prevedere accelerazioni superiori a 1 *g* (oppure perforare la Terra).

2 Il tempo che impieghereste effettivamente è un po' più complicato da calcolare, poiché a quelle velocità la curvatura della Terra diventa significativa. La vostra velocità a metà strada sarebbe tale che perdereste contatto con il suolo e se cercaste di trattenervi a una ringhiera (o viaggiaste su un soffitto), l'accelerazione centripeta supererebbe i vostri limiti. Ma la stessa curvatura vi permetterebbe di accelerare un po' di più all'inizio e alla fine del viaggio, poiché la forza centrifuga aiuta ad annullare l'effetto della gravità, dandovi più margine di manovra per accelerare rimanendo entro il limite di 1,41 *g*.

Dopo che per voi saranno trascorsi alcuni anni, gli effetti della relatività cominceranno davvero a farsi notare. Quando soggettivamente saranno passati tre anni, fuori dal vostro veicolo ne saranno passati poco più di dieci e avrete percorso quasi dieci anni luce, tanto da raggiungere molte stelle vicine. Se nello spazio ci fossero pietre miliari che mostrano la distanza percorsa, le supereresti sempre più rapidamente, come se fossero sempre più vicine, o come se steste viaggiando molto più veloce della luce. Tuttavia, per gli osservatori esterni, volerete a velocità leggermente inferiore a quella della luce e tutto a bordo sarà apparentemente congelato nel tempo.

Dopo quattro anni di monopattino, avrete viaggiato per ottant'anni luce e procederete al 99,95% della velocità della luce. Dopo cinque anni sarete a ottant'anni luce da dove eravate partiti, e dopo dieci anni avrete percorso *15.000* anni luce, arrivando a metà strada fra qui e il centro della Via Lattea. Se continuate ad accelerare, impiegherete meno di vent'anni a raggiungere una galassia vicina.

Se tenete premuto l'acceleratore per un po' più di due decenni, scoprirete che il vostro veicolo viaggerà a miliardi di anni luce per "anno" soggettivo, attraversando una parte significativa dell'universo osservabile.

A quel punto nel vostro luogo di partenza saranno trascorsi miliardi di anni, così che non dovrete preoccuparvi di tornare. E comunque la Terra sarà già stata consumata dal Sole.

Ma non raggiungerete mai le galassie più lontane. L'universo si sta espandendo e grazie all'energia oscura l'espansione sembra accelerare.

Viaggiare quasi alla velocità della luce potrà impedirvi di invecchiare, ma il resto dell'universo continuerà a invecchiarvi intorno. Se viaggiate per un miliardo di anni luce a una velocità pari a circa quella della luce, quando vi fermerete l'universo avrà un miliardo di anni di più. E poiché l'universo si espande man mano che invecchia, scoprirete che l'espansione dell'universo avrà allontanato da voi la vostra destinazione mentre viaggiavate in quella direzione.

Poiché l'espansione dell'universo sta accelerando, ci sono parti dell'universo che non riuscireste a raggiungere per quanto lontano possiate andare. Gli attuali modelli dell'espansione dell'universo fanno ritenere che questo limite – noto come *orizzonte degli eventi cosmologico* – sia probabilmente a circa un terzo della strada fra noi e il confine dell'universo osservabile.

Il telescopio spaziale Hubble ha ingrandito aree del cielo apparentemente vuote e ha scattato fotografie che mostrano mari di galassie fioche e distanti. Alcune delle galassie più grandi e luminose delle foto sono all'interno del nostro orizzonte degli eventi e quindi potreste prima o poi raggiungerle con il monopattino, ma la maggior parte è oltre il limite. Per quanto acceleriate in quella direzione, l'espansione dell'universo le porterà sempre più lontano.

Se continuate a tenere premuto l'acceleratore per inseguire queste galassie irraggiungibili, continueranno ad allontanarsi sempre di più, mentre voi avanzerete sempre più velocemente nel tempo. Dopo trent'anni l'universo avrà 10.000 miliardi di anni e rimarranno solo le stelle più longeve, piccole e flebili. Dopo quarant'anni anche queste stelle si saranno esaurite e vi ritroverete in un universo buio e freddo, illuminato solo da lampi occasionali, quando per caso collideranno i resti alla deriva di stelle fredde e morte.

Per quanto veloci andiate, non arriverete mai ai *confini* dell'universo. Ma potrete raggiungerne la *fine*.

CAPITOLO 27

Come essere puntuali

Esistono due modi principali per arrivare più presto da qualche parte: viaggiare più veloci e muoversi prima.

OPZIONI

1. VIAGGIARE PIÙ VELOCI
2. MUOVERSI PRIMA

Per informazioni su come viaggiare più velocemente, potete consultare il capitolo 26: "Come arrivare velocemente da qualche parte".

Muoversi prima è più difficile; richiede di essere coscienziosi e pianificare le proprie azioni in modo realistico. Per imparare a migliorare da questo punto di vista forse dovete cercare un altro libro.

Se escludete di muovervi prima e di viaggiare più veloce, sembra che non ci sia niente da fare. E invece avete un'altra opzione: *modificare il flusso del tempo*.

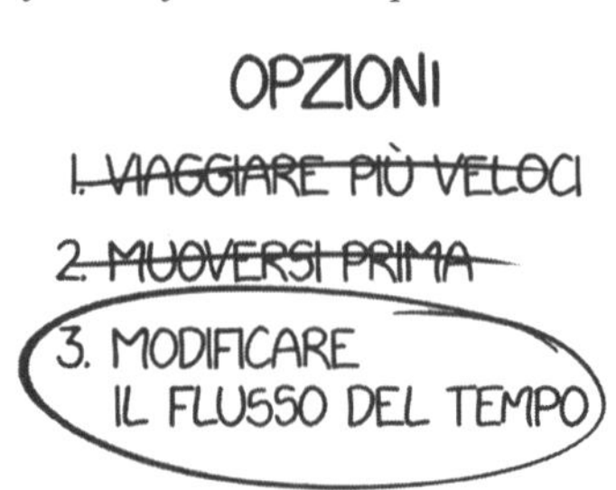

Questo approccio non è necessariamente inverosimile quanto sembra. Quando Einstein studiava il moto delle onde elettromagnetiche nello spazio, era perplesso perché le equazioni di Maxwell sembravano implicare che un'onda elettromagnetica non potesse mai apparire stazionaria rispetto a un osservatore. Secondo le equazioni non sarebbe mai stato possibile raggiungere un'onda di luce e vederla immobile sul posto: indipendentemente dalla velocità a cui procede l'osservatore, avrebbe misurato, per la luce che gli passava accanto, sempre lo stesso numero di chilometri all'ora. Ciò portò Einstein a rendersi conto che ci doveva essere qualcosa che non andava nella nostra idea di "chilometri" e "ore", e le sue teorie hanno spiegato come il tempo scorre in modo diverso per osservatori diversi, a seconda di quanto stanno andando veloci.

Armeggiare con il tempo portò a Einstein fama, immortalità e un premio Nobel,[1] quindi forse vi può far arrivare in tempo dove state andando. (E se no, forse otterrete un premio Nobel come consolazione.)

"Modificare il flusso del tempo" non comporta per forza qualcosa di complicato; il modo più semplice è di chiedere a tutti di spostare l'orologio. Molti di noi lo fanno già due volte all'anno per via dell'ora legale. Dopotutto, l'ora è un costrutto sociale; se riuscite a convincere tutti a portare gli orologi indietro di sessanta minuti, l'ora cambia, dandovi potenzialmente un'ora in più per arrivare a destinazione.

I fusi orari sono ufficiali e permanenti, ma sono più volatili di quanto si pensi. Non esiste un'organizzazione internazionale che debba approvare i confini dei fusi orari: ogni paese ha l'autorità di impostare i propri orologi come desidera, quando desidera. Se il governo di un paese si sveglia una mattina e decide di spostare indietro tutti gli orologi di 5 ore, nessuno glielo può impedire.

Quando un paese manipola lo scorrere del tempo senza sufficiente preavviso, può provocare bei problemi. Nel marzo 2016 il consiglio dei ministri dell'Azerbaigian decise di sopprimere l'ora legale dieci giorni prima dell'inizio previsto. Le aziende produttrici di software dovettero far uscire in fretta e furia gli aggiornamenti, fu necessario rivedere gli orari e le compagnie aeree si trovarono a decidere se i voli sarebbero partiti all'ora indicata sul biglietto o un'ora prima. L'aeroporto internazionale Heydar Aliyev si limitò a dire a tutti di arrivare con 3 ore di anticipo rispetto all'orario dei voli.

1 La Fondazione Nobel in realtà non gli assegnò il premio per questioni spaziotemporali, in parte perché erano ancora considerate rivoluzionarie e non del tutto verificate. Fortunatamente, nel 1905 pubblicò quattro articoli ognuno dei quali sarebbe probabilmente degno da solo di un Nobel: quindi glielo diedero per uno di quelli più convenzionali.

In genere si cerca di dare più di dieci giorni di preavviso prima di cambiare l'ora, ma non sta scritto da nessuna parte. In teoria, se siete in ritardo per un appuntamento, potete contattare il vostro governo e chiedergli di spostare indietro gli orologi.

Negli Stati Uniti, i parlamenti dei singoli stati possono decidere se rispettare l'ora legale, ma non quando inizia o finisce. Per guadagnare un'ora in più, dovrete contattare il governo federale.

La legge federale statunitense attualmente specifica nove fusi orari e fissa l'ora in ciascuno rispetto al tempo coordinato universale, o UTC – dal suo acronimo anglofrancese – un sistema mondiale di misurazione del tempo definito dall'Ufficio internazionale dei pesi e delle misure. Il Congresso degli USA può cambiare questa legge, ma non è necessario passare attraverso il Congresso per regolare l'orologio. Per legge, il ministro dei trasporti ha il potere di spostare unilateralmente un'area da un fuso orario a un altro. Se vi trovate negli Stati Uniti, in teoria potete far tornare indietro l'orologio fino a otto ore semplicemente chiamando il dipartimento dei trasporti e chiedendolo con gentilezza.

Tuttavia, il ministro non può creare nuovi fusi orari. Se volete modificare il tempo in qualcosa di diverso dai nove valori standard, dovete passare attraverso il Congresso. Se però riuscite a convincere i parlamentari ad aiutarvi, potete far diventare il tempo quello che volete. Anzi, in linea di principio è possibile far diventare la *data* quella che volete. Potete spostare la vostra casa, la vostra città o l'intera nazione in avanti di 24 ore... o indietro di 65 milioni di anni.

Nel 2010 il conduttore radiofonico religioso Harold Camping aveva previsto che la fine del mondo sarebbe iniziata con il "rapimento" previsto dall'Apocalisse il 21 maggio 2011, alle 18, ora locale. Poiché l'apocalisse doveva avvenire in base all'ora locale, ciò significava che la fine del mondo sarebbe iniziata nella repubblica di Kiribati nell'oceano Pacifico, appena a ovest della linea del cambiamento di data, e si sarebbe spostata verso ovest attorno al pianeta, fuso orario dopo fuso orario.

Se una nazione vuole verificare se il mondo finisce in una certa data futura, basta che approvi una legge che fa avanzare il suo orologio, per esempio, alle 12 del 1° gennaio 3019 e quel punto si guarda in giro. Se non è accaduto nulla si possono riportare indietro gli orologi e tutti sapremo che per i prossimi mille anni saremo al sicuro, almeno dalle apocalissi che si verificano nell'ora locale.

Se non riuscite a convincere il governo a cambiare l'ora per voi, o se il vostro appuntamento è fissato rispetto all'UTC, niente da fare. Non potete guadagnare tempo a meno di non modificare l'UTC stesso.

GLI OROLOGI ATOMICI

L'UTC si basa su una rete di orologi atomici precisissimi. Questo tipo di orologio scandisce il passare del tempo misurando accuratamente l'oscillazione di atomi di cesio usando la luce. Ma ormai sappiamo, grazie a Einstein, che lo scorrere del tempo non è costante. In un intenso campo gravitazionale la luce – e il tempo stesso – rallenta. Se mettiamo un grande peso sferico accanto a un orologio atomico, la gravità aggiuntiva farà sì che ticchetti più lentamente.

Purtroppo non basta semplicemente manomettere *un* orologio atomico. L'Ufficio internazionale dei pesi e delle misure usa misurazioni provenienti da diverse centinaia di orologi atomici sparsi in tutto il mondo e ne calcola una media per ottenere un unico standard temporale globale. Se volessimo modificare artificialmente il tempo, dovremmo rallentare *tutti* questi orologi insieme; alterandone uno solo, si noterebbe rapidamente il valore anomalo.

Supponiamo che vi intrufoliate in ognuna delle strutture che ospitano un orologio atomico con una sfera di piombo di 30 cm di diametro nascosta nello zaino e che la lasciate vicina all'orologio. (Dovreste essere abbastanza forti, dal momento che la palla peserebbe più di 160 kg!)

Se riusciste a nascondere la palla proprio accanto all'elemento temporizzatore dell'orologio atomico, rallenterebbe l'orologio di appena una parte su 1024 circa, equivalente a qualcosa come cento nanosecondi nel corso dei prossimi quattro miliardi di anni.

Una sfera di piombo del diametro di 200 m sarebbe appena più efficace: aggiungerebbe un ulteriore nanosecondo ogni secolo circa. Sarebbe anche impossibile fabbricarla e spostarla... e difficilotta da nascondere.

Se l'UTC si basa sugli orologi atomici e non riuscite a manipolarli, allora sembra che non si possa manipolare l'UTC. In realtà, però, non si basa *esattamente* sugli orologi atomici. Ha un'irregolarità che vi potrebbe forse dare un po' più di tempo per arrivare all'appuntamento... o, se partite in orario, farvi addirittura arrivare in anticipo.

LA VARIAZIONE DELLA DURATA DEL GIORNO

I nostri orologi atomici sono più precisi e regolari del moto terrestre. Un tempo definivamo la lunghezza di un secondo in termini di rotazione della Terra, ma un secondo la cui lunghezza cambia nel tempo è scomodo per la fisica, l'ingegneria e in generale il computo del tempo; quindi, nel 1967, la lunghezza del secondo è stata fissata ufficialmente una volta per tutte facendo riferimento agli orologi atomici. Una giornata dovrebbe essere di 24 ore, cioè 86.400 secondi, ma a partire dalla fine del 2010 la Terra impiega in media 86.400,001 secondi per compiere un giro completo del proprio asse, rispetto al Sole. In altre parole, la Terra è in ritardo di un millisecondo. Quel millisecondo in più ogni giorno si accumula gradualmente, finché dopo un migliaio di giorni un orologio perfetto si sposta di un secondo intero fuori sincrono con il Sole.

Adesso il giorno è troppo lungo di qualche millisecondo, ma non rimarrà così. A causa della Luna, la rotazione della Terra sta rallentando.

La gravità della Luna esercita un'attrazione maggiore sulle parti più vicine della Terra rispetto a quelle più lontane. Mentre la Terra ruota, l'acqua (e, in misura minore, la terraferma) si sposta lievemente in modo da adattarsi a questa forza mutevole: è il fenomeno che osserviamo come maree. La Terra gira più velocemente rispetto al moto orbitale della Luna; la forza gravitazionale tra questi oceani mobili e la Luna crea una leggerissima "resistenza" gravitazionale tra i due corpi, che ha l'effetto di tirare la Luna in avanti – lanciandola verso un'orbita più ampia – e al contempo di rallentare la Terra.[2]

SECONDI INTERCALARI

L'ora UTC non ha fusi orari o ora legale, ma viene regolata di tanto in tanto, in misura lievissima, per mantenere sincronizzati gli orologi con la rotazione terrestre. Questi cambiamenti hanno la forma di secondi intercalari.

I secondi intercalari vengono aggiunti dall'International Earth Rotation and Reference Systems Service, che tiene accuratamente sotto controllo la rotazione della Terra e decide quando è necessario un nuovo secondo. Il secondo intercalare viene aggiunto subito prima di mezzanotte dell'ultimo giorno del mese, di solito a giugno o dicembre. Il secondo è inserito tra le 23:59:59 e le 00:00:00, e rappresentato come 23:59:60.

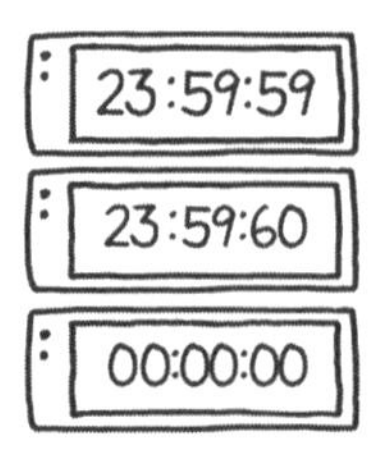

2 Almeno, *dovrebbe* rallentare. Sul lungo periodo, la rotazione della Terra ha continuato a rallentare costantemente, ma negli ultimi decenni in realtà ha accelerato un po'. Circa dal 1972 – per coincidenza, quando abbiamo iniziato ad aggiungere secondi intercalari – il tempo impiegato dalla Terra per completare un giro si è ridotto di qualche millisecondo. Probabilmente è dovuto alla turbolenza, impossibile da prevedere, nelle correnti del nucleo esterno della Terra, che è fluido, ma nessuno lo sa davvero per certo. Non è troppo insolito – la Terra ha accelerato e rallentato più volte negli ultimi secoli – ed è improbabile che continui ancora a lungo. Ma in definitiva è un po' strano pensare che la Terra stia accelerando e nessuno sappia perché.

Quando si inserisce un secondo intercalare, qualsiasi evento programmato dopo quella data viene rinviato di un secondo. Se al vostro appuntamento mancano almeno un mese o due, potreste guadagnare secondi in più convincendo l'International Earth Rotation and Reference Systems Service che sono necessari altri secondi intercalari.

Per ottenerne di più, dovete rallentare maggiormente la Terra.

Ogni volta che qualche massa si sposta dall'equatore verso i poli, la Terra accelera. Il movimento quotidiano dell'aria tra i poli e l'equatore fa oscillare la velocità del pianeta e, su periodi più lunghi, la ridistribuzione della massa dovuta ai cicli climatici, lo scioglimento delle calotte glaciali e il rimbalzo postglaciale hanno ognuno un effetto.

Quindi, se vivete in una zona tropicale o temperata, potete accelerare la Terra semplicemente camminando verso uno dei poli e la potete rallentare camminando dal polo verso l'equatore.

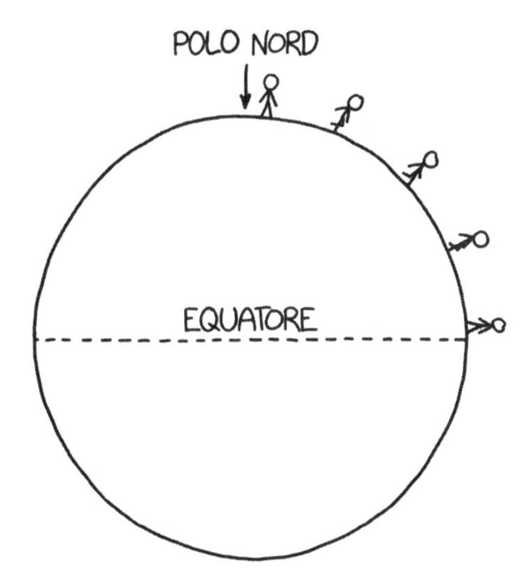

SMALTIMENTO IN ARIA

Se proprio serve, questo libro può funzionare anche come fonte di energia. Le pagine contengono circa 8 megajoule di energia chimica, che originariamente le foglie di una pianta avevano prelevato dal Sole.

Le piante sono fatte di aria. Il carbonio nel legno proviene dalla CO_2 estratta dall'aria, che viene combinata con l'acqua (H_2O) attraverso la fotosintesi. Questo libro è composto di aria, acqua e luce solare. Se le pagine vengono incenerite, il carbonio si ritrasforma in CO_2 e acqua, liberando la luce solare catturata. Quando bruciamo legno, petrolio o carta, il calore del fuoco è il calore di quella luce solare.

Otto megajoule sono all'incirca uguali all'energia in un bicchiere di benzina. Se il consumo di carburante della vostra auto è di 8 litri per 100 km quando procedete in autostrada a 90 km/h, e la convertite in modo che consumi copie di questo libro anziché benzina, brucerà circa 33.000 parole al minuto, varie decine di volte più veloce del tasso di consumo di parole di un tipico essere umano.

$$90\,\frac{\text{km}}{\text{h}} \times 65.000\,\frac{\text{parole}}{\text{libro}} \times 8\,\frac{\text{l}}{100\text{ km}} \times 1\,\frac{\text{libro}}{\text{bicchiere}} \approx 33.000\,\frac{\text{parole}}{\text{minuto}}$$

SMALTIMENTO NELL'OCEANO

Il carbonio in un libro si può anche miscelare con l'acqua. Se il libro viene incenerito, il carbonio e l'idrogeno che conteneva verranno convertiti in CO_2 e acqua. Il vapore acqueo cadrà sotto forma di pioggia e presumibilmente finirà nell'oceano. Anche metà della CO_2 rilasciata nell'atmosfera dalla combustione verrà assorbita dall'oceano, formando vari milioni di miliardi di miliardi di molecole di acido carbonico. Se si mescolassero uniformemente nell'aria e nell'oceano, ogni bicchiere di acqua di mare e ogni polmone pieno d'aria conterrebbero diverse migliaia di molecole dal libro.

SMALTIMENTO NEL TEMPO

Se metteste questo libro per terra e ve ne andaste, e nessuno lo toccasse mai più, che cosa gli succederebbe?

A seconda del clima nella zona, potrebbe non durare neanche tanto. Gli esseri umani non possono mangiare la carta, ma l'energia immagazzinata nella cellulosa – la stessa energia rilasciata quando la bruciamo – è appetibile per un'ampia varietà di microrganismi. Questi esseri hanno bisogno di calore e alti livelli di umidità per prosperare, ed è per questo che in genere i libri sono al sicuro sulle librerie di casa. Se abbandonate un libro in una grotta fresca e asciutta o in un luogo ombreggiato nel deserto, potrebbe durare per secoli. Ma una volta che il libro si bagna in una giornata calda, vari organismi – generalmente funghi – inizieranno a divorare la cellulosa. Le pagine verranno digerite e prima o poi si mischieranno nell'ambiente.

Se il libro è protetto dalla decomposizione, il suo destino può dipendere dalla geologia locale. Se lo lasciate in un'area in cui si depositano sedimenti, come una pianura alluvionale, verrà gradualmente seppellito. Se si trova in una zona da cui vengono erosi i sedimenti, come una montagna rocciosa, quasi certamente si decomporrà e sarà portato via dal vento e dall'acqua. La roccia si erode a velocità calcolate in frazioni di millimetro all'anno; quindi se questo libro fosse fatto di roccia, probabilmente si eroderebbe nel corso di secoli o millenni. Dato che la carta è molto più tenera della roccia, è verosimile che non ci vorrà molto tempo. La carta si consumerà e disintegrerà e le informazioni stampate sopra andranno perse.

SMALTIMENTO DI UN LIBRO INDISTRUTTIBILE O MALEDETTO

È tecnicamente possibile che la copia di questo libro che avete in mano sia indistruttibile. Certo, è improbabile, ma non lo potete escludere definitivamente senza provarci. Non esiste un test non distruttivo per l'indistruttibilità.

Se vi dovesse capitare un libro di cui volete sbarazzarvi ma che non riuscite a distruggere – o perché la carta è troppo resistente, o per via di qualche situazione alla biblioteca di Hogwarts/Anello del Potere/Jumanji – che cosa potete fare? Dove si mette qualcosa per disfarsene per sempre?

È un problema che stiamo già affrontando con le scorie nucleari. Vogliamo sbarazzarcene, ma non c'è modo di distruggerle o convertirle in una forma meno pericolosa, perché incenerire o vaporizzare rifiuti radioattivi non ne riduce la radioattività. Usando calore a sufficienza, è possibile distruggere qualsiasi cosa scindendone le molecole negli atomi che le costituiscono. Ma con i rifiuti radioattivi ciò non aiuta, perché sono proprio gli atomi il problema.

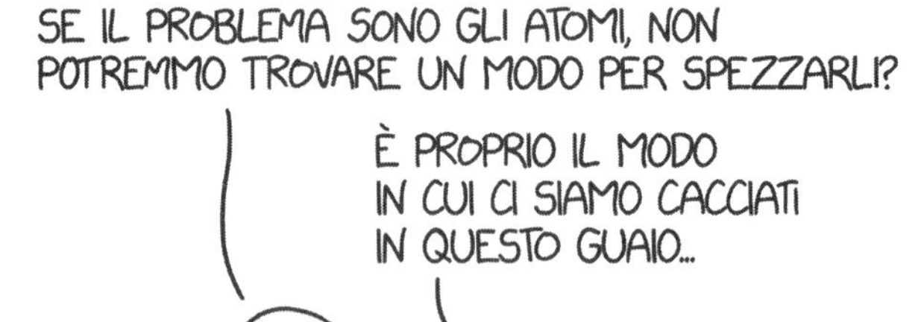

Dal momento che non possiamo distruggere le scorie radioattive, in genere cerchiamo di metterle da qualche parte dove non diano fastidio. Riunirle tutte in un unico luogo ha senso – non ce ne sono molte, dal punto di vista del volume – e quindi potremmo semplicemente scegliere un posto, metterci tutte le scorie e poi sigillarlo nel modo più permanente possibile, monitorando il sito a tempo indeterminato, con dei segnali di avvertimento per far sì che le civiltà future non le dissotterrino.[2]

Attualmente, l'unico sito sotterraneo permanente di smaltimento a lungo termine delle scorie in tutti gli Stati Uniti è una serie di camere 600 m sotto il deserto del Nuovo Messico. Il complesso, chiamato Waste Isolation Pilot Plant (WIPP), continua ad accettare una parte delle scorie nucleari statunitensi ma, fino a quando non verrà scelto un nuovo sito di smaltimento permanente o verrà espansa la struttura WIPP, stiamo risolvendo questo problema nel modo in cui lo si fa spesso: cercando di non pensarci e sperando che vada via.

WASTE ISOLATION PILOT PLANT

EDIFICI IN SUPERFICIE

SUBSTRATO ROCCIOSO

POZZI DI TRIVELLAZIONE

SALE

DEPOSITO DI SCORIE

SUBSTRATO ROCCIOSO

I tunnel del WIPP nel Nuovo Messico sono scavati attraverso un antico strato di salgemma dello spessore di mezzo chilometro. Le gallerie saline sono particolarmente adatte per lo smaltimento dei rifiuti perché il sale "scorre" molto lentamente. Se si scava un tunnel nel sale e poi lo si abbandona, si contrarrà e si sigillerà gradualmente.

2 Negli anni novanta un gruppo di esperti si riunì per valutare la questione di come creare segnali che chiariscano alle civiltà future che non devono disseppellire i nostri rifiuti nucleari; presero in esame iscrizioni esplicative in varie lingue, diagrammi e sculture spaventose. Il tutto fu una strana combinazione di inquietudine e ottimismo: l'inquietudine per aver creato qualcosa di così pericoloso che rappresenta una minaccia non solo per noi, ma anche per le civiltà future, e l'ottimismo di supporre che ci saranno effettivamente civiltà future, molto tempo dopo che si sarà persa memoria di noi, in grado di leggere e comprendere i messaggi che lasciamo per loro.

Per smaltire questo libro presso la struttura WIPP, potreste scavare una cavità a fianco di una galleria[3] e lasciarcelo dentro. Dopo qualche decennio, la cavità si sarà richiusa, seppellendo il testo nel sale.

C'è un'altra idea su come sbarazzarsi delle scorie radioattive, che secondo i suoi sostenitori potrebbe essere più economica e più sicura di una struttura in stile WIPP: calarle in pozzi molto profondi.

L'impianto WIPP ha una profondità di circa mezzo chilometro, mentre i pozzi per la trivellazione petrolifera e la ricerca geologica[4] arrivano molto più a fondo, anche 10 km sotto la superficie, attraversando gli strati superficiali e scendendo nella massa sottostante di roccia antica che costituisce il nucleo del continente, quello che i geologi chiamano *basamento cristallino*.[5]

In molte parti del mondo, la roccia nel basamento cristallino è rimasta isolata dalla superficie da miliardi di anni. Per smaltirci qualcosa potremmo scavare un lungo pozzo verso il basso, gettarci dentro i rifiuti e poi sigillare il buco con strati di cemento e argilla.

3 Si veda il capitolo 3: "Come scavare una buca".

4 Soprattutto per cercare petrolio.

5 Se mi avessero chiesto che cosa significa il termine "basamento cristallino" prima di impararlo, le mie congetture sarebbero state "un livello di Mario Kart", "un sottogenere di musica elettronica", "un progetto di ristrutturazione edile" e "una droga sintetica illegale".

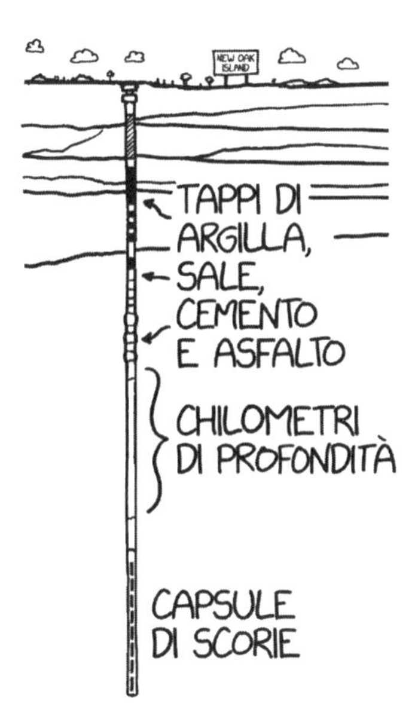

SUBDUZIONE

La crosta oceanica viene riciclata nel mantello terrestre attraverso la *subduzione*; per questo qualcuno propone di adagiare le scorie nucleari in una fossa oceanica e lasciare che la Terra le smaltisca per noi. Sfortunatamente, la subduzione è piuttosto lenta. Se depositiamo i nostri rifiuti a un chilometro di profondità in una zolla in subduzione e aspettiamo diecimila anni...

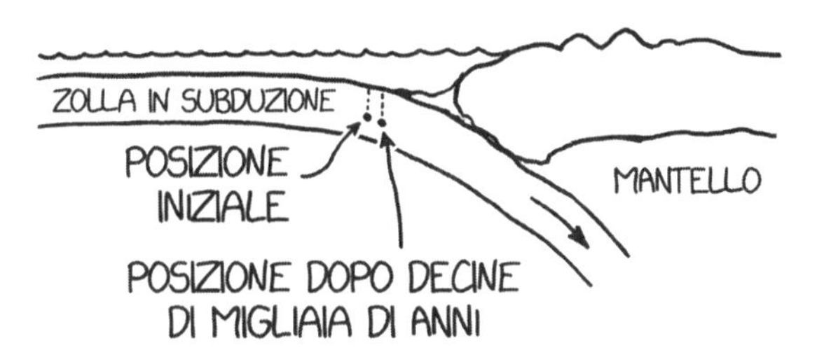

... si saranno spostati lateralmente di circa 300 m.

(Ma forse è meglio se state a distanza di sicurezza.)

Ringraziamenti

Un mucchio di persone ha contribuito a rendere possibile questo libro.

In molti mi hanno offerto la loro competenza e le loro risorse. Ringrazio Serena Williams e Alexis Ohanian per essere stati disposti a sacrificare un drone per la scienza e Kate Darling per averci detto che probabilmente non c'è niente di male a farlo. Grazie al colonnello Chris Hadfield per aver risposto alle domande più ridicole che mi sono venute in mente e a Katie Mack per avermi avvertito di non mettere fine all'universo. E grazie a voi, Christopher Night e Nick Murdoch, per il vostro aiuto con equazioni e misurazioni.

Grazie a Kathleen Weldon e allo staff del Roper Center per aver tirato fuori strani dati sui sondaggi e alla responsabile dei sondaggi dell'*HuffPost*, Ariel Edwards-Levy, per aver risposto alle mie domande sull'opinione pubblica. Grazie ad Anna Romanov e a David Allen per aver reso disponibile il loro lavoro di laurea, e al dottor Reuben Thomas per avermi messo a parte delle sue ricerche sulle amicizie. Grazie a Greg Leppert per l'aiuto nell'arrangiare l'*Infrasonata* e grazie alle formiche che sono entrate nella casa di Waldo Jaquith e che lo hanno spinto a chiedermi aiuto per costruire un fossato di lava.

Grazie a Christina Gleason per aver dato al mio testo e ai miei disegni la forma di un libro e avermi fornito consigli saggi e preziosissimi. Grazie a Derek per aver contribuito a far sì che il tutto avvenisse, e grazie a Seth Fishman, a Rebecca Gardner, a Will Roberts e al resto della squadra dell'agenzia Gernert.

Grazie alla mia redattrice, indubbiamente eroica, Courtney Young e al resto della squadra della casa editrice Riverhead, tra cui Kevin Murphy, Helen Yentus, Annie Gottleib, Ashley Garland, May-Zhee Lim, Jynne Martin, Melissa Solis, Caitlin Noonan, Gabriel Levinson, Linda Friedner, Grace Han, Claire Vaccaro, Taylor Grant, Mary Stone, Nora Alice Demick, Kate Stark e l'editore Geoff Kloske.

E grazie a mia moglie, per avermi insegnato metà delle cose di questo libro e per aver esplorato questo mondo grande, strano e avvincente insieme a me.

Riferimenti bibliografici

1. Come saltare in alto, ma proprio in alto

Elizabeth J. Carter, E. H. Teets e S. N. Goates, "The Perlan Project: New Zealand flights, meteorological support and modeling", in *Proc. 19th Int. Cont. on IIPS, 83rd* AMS *Annual Meeting*, n. 1.2 (2003).

Christian Hirt *et al.*, "New Ultrahigh-Resolution Picture of Earth's Gravity Field", *Geophysical Research Letters* 40, n. 16 (agosto 2013), pp. 4279-4283.

Edward H. Teets Jr., "Atmospheric Conditions of Stratospheric Mountain Waves: Soaring the Perlan Aircraft to 30 km", in *10th Conference on Aviation, Range, and Aerospace Meteorology* (2002).

2. Come organizzare una festa in piscina

Arctic Monitoring e Assessment Programme, *Snow, Water, Ice and Permafrost in the Arctic (SWIPA) 2017* (Oslo 2017).

Kevin E. Trenberth e Lesley Smith, "The Mass of the Atmosphere: A Constraint on Global Analyses", *Journal of Climate* 18, n. 6 (marzo 2005), pp. 864-875.

Alex Wellerstein, "Beer and the Apocalypse", *Restricted Data*, 5 settembre 2012, http://blog.nuclearsecrecy.com/2012/09/05/beer-and-the-apocalypse/.

3. Come scavare una buca

V. René Nevola, "Common Military Task: Digging", in *Optimizing Operational Physical Fitness* (RTO/NATO, 2009), 4-1-68.

United States Department of Labor, "Occupational Employment and Wages, May 2017", Bureau of Labor Statistics, ultima modifica il 30 marzo 2018, https://www.bls.gov/oes/current/oes472061.htm.

4. Come suonare il pianoforte

Katharine B. Payne, William R. Langbauer Jr. e Elizabeth M. Thomas, "Infrasonic Calls of the Asian Elephant (Elephas Maximus)", *Behavioral Ecology and Sociobiology* 18, n. 4 (febbraio 1986), pp. 297-301.

6. Come attraversare un fiume

Buffalo Morning Express, 10 febbraio 1848.

Bill Glauber, "On Solid or Liquid, Give It the Gas", *Journal Sentinel*, 18 luglio 2009, http://archive.jsonline.com/news/wisconsin/51105382.html/.

Historic Lewiston, *Lewiston History Mysteries*, estate 2016, http://historiclewiston.org/wp-content/uploads/2016/08/Homan-Walsh-Falls-Kite-3.pdf.

"Incidents at the Falls", *Buffalo Commercial Advertiser*, 13 luglio 1848.

"Niagara Suspension Bridge", *Buffalo Daily Courier*, 3 febbraio 1848.

Frank C. Perkins, "Man-Carrying Kites in Wireless Service", *Electrician and Mechanic* 24 (gennaio-giugno 1912), p. 59.

M. Robinson, "The Kite that Bridged a River", 2005, http://kitehistory.com/Miscellaneous/Homan_Walsh.htm.

7. Come traslocare

Federal Emergency Management Agency, "Appendix C, Sample Design Calculations" in *Engineering Principles and Practices for Retrofitting Flood-Prone Residential Structures* (FEMA 2009), C–1-37

Piasecki Aircraft Corporation, "Multi-Helicopter Heavy Lift System Feasibility Study" (Naval Air Systems Command, 1972).

8. Come impedire che la casa si muova

AK Stat. § 09.45.800 (Alaska 2017).

California Code of Civil Procedure, capitolo 3.6, *Cullen Earthquake Act*, § 751.50 (1972)).

Joannou v. City of Rancho Palos Verdes, B241035 (CA Ct. App. 2013).

Simon Offord, "Court Denies Request to Adjust Lot Lines After Landslide", Bay Area Real Estate Law Blog, consultato il 28 marzo 2019, https://bayarearealestatelawyers.com/real-estate-law/court-denies-request-to-adjust-lot-lines-after-landslide.

Michael J. Pallamary e Curtis M. Brown, "Land Movements and Boundaries" tratto da *The Curt Brown Chronicles, The American Surveyor* 10, n. 10 (2013), pp. 49-50.

Sandra S. Schultz e Robert E. Wallace, "The San Andreas Fault", US Geological Survey, ultima modifica il 30 novembre 2016, https://pubs.usgs.gov/gip/earthq3/safaultgip.html.

Theriault v. Murray, 588 A.2d 720 (Maine 1991).

C. Albert White, "Land Slide Report" (Bureau of Land Management, 1998), https://www.blm.gov/or/gis/geoscience/files/landslide.pdf.

9. Come costruire un fossato di lava

Ronald Heus e Emiel A. Denhartog, "Maximum Allowable Exposure to Different Heat Radiation Levels in Three Types of Heat Protective Clothing", *Industrial Health* 55, n. 6 (novembre 2017), pp. 529-536.

Laszlo Keszthelyi Andrew J. L. Harris e Jonathan Dehn, "Observations of the Effect of Wind on the Cooling of Active Lava Flows", *Geophysical Research Letters* 30, n. 19 (ottobre 2003): 4–1-4.

D. A. Torvi, G. V. Hadjisophocleous e J. K. Hum, "A New Method for Estimating the Effects of Thermal Radiation from Fires on Building Occupants", Proceedings of the ASME Heat Transfer Division (National Research Council of Canada, 2000), pp. 65-72.

"What Is Lava Made Of?", *Volcano World*, Oregon State University, http://volcan.oregonstate.edu/what-lava-made.

Thomas L. Wright, "Chemistry of Kilauea and Mauna Loa Lava in Space and Time" (US Geological Survey 1971), https://pubs.usgs.gov/pp/0735/report.pdf.

10. Come lanciare le cose

Brian Cronin, "Did Walter Johnson Accomplish a Famous George Washington Myth?", *Los Angeles Times,* 21 settembre 2012, https://www.latimes.com/sports/la-xpm-2012-sep-21-la-sp-sn-walter-johnson-george-washington-20120921-story.html.

Charles McLean, "Johnson Twice Throws a Dollar Across the Turbid Rappahannock", *New York Times*, 23 febbraio 1936.

K. W. Ragland, M. A. Mason e W. W. Simmons, "Effect of Tumbling and Burning on the Drag of Bluff Objects", *Journal of Fluids Engineering* 105, n. 2 (giugno 1983), pp. 174-178.

Robert Sprague *et al.*, "Force-Velocity and Power-Velocity Relationships during Maximal Short-Term Rowing Ergometry", *Medicine & Science in Sports & Exercise* 39, n. 2 (febbraio 2007), pp. 358-364.

Lloyd W. Taylor, "The Laws of Motion Under Constant Power", *The Ohio Journal of Science* 30, n. 4 (luglio 1930), pp. 218-220.

11. Come giocare a football

John Eric Goff, "Heuristic Model of Air Drag on a Sphere", *Physics Education* 39, n. 6 (novembre 2004), pp. 496-499.

Frank M. White, *Fluid Mechanics* (New York: McGraw Hill, 2016).

12. Come prevedere il tempo

"Daniel K. Inouye International Airport, Hawaii", Weather Underground, luglio 2017, https://www.wunderground.com/history/monthly/us/hi/honolulu/PHNL/date/2017-7.

W. A. Gough, "Theoretical Considerations of Day-to-Day Temperature Variability Applied to Toronto and Calgary, Canada Data", *Theoretical and Applied Climatology* 94, n. 1-2 (settembre 2008), pp. 97-105.

"Honolulu, HI, NOAA Online Weather Data", National Weather Service Forecast Office, consultato il 3 maggio 2019, https://w2.weather.gov/climate/xmacis.php?wfo=hnl.

Romain Roehrig, Dominique Bouniol, Francoise Guichard, Frédéric Hourdin e Jean-Luc Redelsperger, "The Present and Future of the West African Monsoon", *Journal of Climate* 26 (settembre 2013), pp. 6471-6505.

Philip Thompson, "Philip Thompson Interview", intervista di William Aspray, Charles Babbage Institute, University of Minnesota, 5 dicembre 1986, trascrizione.

Kevin E. Trenberth, "Persistence of Daily Geopotential Heights over the Southern Hemisphere", *Monthly Weather Review* 113 (gennaio 1985), pp. 38-53.

13. Come giocare ad acchiapparella

Bethea, Charles, "How Fast Could Usain Bold Run the Mile", *The New Yorker*, August 1, 2016, https://www.newyorker.com/sports/sporting-scene/how-fast-would-usain-bolt-run-the-mile.

Dawson, Andrew, "Belgian Dentist Breaks Appalachian Trail Speed Record", *Runner's World*, August 29, 2018, https://www.runnersworld.com/news/a22865359/karel-sabbe-breaks-appalachian-trail-speed-record/.

Krzywinski, Martin, "The Google Maps Challenge—Longest Google Maps Driving Routes", *Martin Krzywinski Science Art*, ultima modifica il 13 giugno 2017, http://mkweb.bcgsc.ca/googlemapschallenge/.

Krzywinski, Martin, "Longest possible Google Maps route?", xkcd forum, January 30, 2012, http://forums.xkcd.com/viewtopic.php?f=2&t=65793&p=2872419#p2872419.

"Thru-Hiking", Appalachian Trail Conservancy, consultato il 28 marzo 2019, http://www.appalachiantrail.org/home/explore-the-trail/thru-hiking.

14. Come sciare

"Facts on Snowmaking", National Ski Areas Association, consultato il 28 marzo 2019, https://www.nsaa.org/media/248986/snowmaking.pdf.

Lois Friedland, "Tanks for the Snow", *Ski*, marzo 1988, p. 13.

Louden, Patrick B. and J. Daniel Gezelter, "Friction at Ice-Ih/Water Interfaces Is Governed by Solid/Liquid Hydrogen-Bonding", *The Journal of Physical Chemistry* 121, n. 48 (novembre 2017), pp. 26764–26776.

"Polarsnow", Polar Europe, consultato il 28 marzo 2019, https://polareurope.com/polar-snow/.

Bob Rosenberg, "Why is Ice Slippery?", *Physics Today* 58, n. 12 (dicembre 2005), p. 50.

Dave Scanlan, from "Like It or Not, Snowmaking is the Future", intervista di Julie Brown, *Powder*, 29 agosto 2017, https://www.powder.com/stories/news/like-not-snowmaking-future/.

15. Come spedire un pacchetto (dallo spazio)

"Apollo 13 Press Kit", NASA, 2 aprile 1970, https://www.hq.nasa.gov/alsj/a13/A13_PressKit.pdf.

Justin Allen Atchison, "Length Scaling in Spacecraft Dynamics" (PhD diss., Cornell University, 2010).

The Corona Story, National Reconnaissance Office, novembre 1987 (parzialmente desecretato e pubblicato in base al *Freedom of Information Act* [FOIA], 30 giugno 2010).

R. Janovsky *et al.*, "End-of-life De-orbiting Strategies for Satellites", paper presentato al Deutscher Luft- und Raumfahrtkongress, Stoccarda, Germania, settembre 2002.

Mason Peck, "Sometimes Even a Low Ballistic Coefficient Needs a Little Help", *Spacecraft Lab*, 5 maggio 2014, https://spacecraftlab.wordpress.com/2014/05/05/sometimes-even-a-low-ballistic-coefficient-needs-a-little-help/.

David S. F. Portree e Joseph P. Loftus Jr., *Orbital Debris* (Houston: NASA, 1999).

Mark Singer, "Risky Business", *The New Yorker*, 14 luglio 2014, https://www.newyorker.com/magazine/2014/07/21/risky-business-2.

"Taco Bell Cashes In on Mir", BBC News, 20 marzo 2001, http://news.bbc.co.uk/2/hi/americas/1231447.stm.

Mari Yamaguchi, "Can an Origami Space Shuttle Fly from Space to Earth", *USA Today*, 27 marzo 2008, https://usatoday30.usatoday.com/tech/science/space/2008-03-27-origami-space-shuttle_N.htm/.

16. Come rifornire d'energia una casa (sulla Terra)

"Appendix A: Frequently Asked Questions" in *Woody Biomass Desk Guide and Toolkit* adattato da Sarah Ashton, Lauren McDonnell e Kiley Barnes (Washington DC: National Association of Conservation Districts), pp. 119-130.

Ricardo Arevalo Jr., William F. McDonough e Mario Luong, "The K/U Ration of the Silicate Earth", *The Earth and Planetary Science Letters* 278, n. 3-4 (febbraio 2009), pp. 361-369.

Felipe Chacón, "The Incredible Shrinking Yard!", Trulia, 18 ottobre 2017, https://www.trulia.com/research/lot-usage/.

"Environmental Impacts of Geothermal Energy", Union of Concerned Scientists, consultato il 28 marzo 2019, https://www.ucsusa.org/clean_energy/our-energy-choices/renewable-energy/environmental-impacts-geothermal-energy.html.

"Coal Explained: How Much Coal is Left", US Energy Information Administration, ultima modifica il 15 novembre 2018, https://www.eia.gov/energyexplained/index.php?page=coal_reserves.

"How Much Do Solar Panels Cost for the Average House in the US in 2019?", SolarReviews, ultima modifica a marzo 2019, https://www.solarreviews.com/solar-panels/solar-panel-cost/.

"How Much Electricity Does an American Home Use?", Frequently Asked Questions, US Energy Information Administration, ultima modifica il 26 ottobre 2018, https://www.eia.gov/tools/faqs/faq.php?id=97&t=3.

NOAA National Centers for Environmental Information, "Climate at a Glance: National Time Series", consultato il 28 marzo 2019, https://www.ncdc.noaa.gov/cag/.

Lee Rinehart, "Switchgrass as a Bioendergy Crop", ATTRA (NCAT, 2006).

"Section 6: Geography and Environment" in *Statistical Abstract of the United States: 2004-2005* (US Census Bureau, 2006), pp. 211-236.

"Solar Maps", National Renewable Energy Laboratory, consultato il 28 marzo 2019, https://www.nrel.gov/gis/solar.html.

"Solar Resource Data and Tools", National Renewable Energy Laboratory, consultato il 28 marzo 2019, https://www.nrel.gov/grid/solar-resource/renewable-resource-data.html.

"Transparent Cost Database", Open Energy Information, ultima modifica a novembre 2015, https://openei.org/apps/TCDB/transparent_cost_database#blank.

"US Crude Oil and Natural Gas Proved Reserve, Year-End 2017", US Energy Information Administration, ultima modifica il 29 novembre 2018, https://www.eia.gov/naturalgas/crudeoilreserves/.

"U.S. Uranium Reserves Estimates",US Energy Information Administration, ultima modifica a luglio 2010, https://www.eia.gov/uranium/reserves/.

17. Come rifornire d'energia una casa (su Marte)

Warren P. Boardman *et al.*, Freestream Ram Air Turbine, US Patent 2.986.219 richiesto il 27 maggio 1957, concesso il 30 maggio 1961.

"Country Comparison: Electricity – Consumption", *The World Factbook* (Washington DC: Central Intelligence Agency), ultima modifica nel 2016, https://www.cia.gov/library/publications/resources/the-world-factbook/fields/253rank.html.

N. Hoffman, "Modern Geothermal Gradients on Mars and Implications for Subsurface Liquids", Conference on the Geophysical Detection of Subsurface Water on Mars (agosto 2001).

David Hollister, "How Wolfe's Tether Spreadsheet Works", *Hop's Blog*, 16 dicembre 2015, http://hopsblog-hop.blogspot.com/2015/12/how-wolfes-tether-spreadsheet-works.html.

"Sounds on Mars", The Planetary Society, consultato il 29 marzo 2019, http://www.planetary.org/explore/projects/microphones/sounds-on-mars.html.

Leonard M. Weinstein, "Space Colonization Using Space-Elevators from Phobos", AIP Conference Proceedings (American Institute of Physics, 2003), pp. 1227-1235.

18. Come farsi degli amici

Gallup Organization, Gallup Poll (AIPO), gennaio 1990, USGALLUP.922002.Q20, Cornell University, Ithaca, NY: Roper Center for Public Opinion Research, IPOLL.

National Institute for Transforming India, "Population Density (Per Sq. Km.)", ultima modifica il 30 marzo 2018, http://niti.gov.in/content/population-density-sq-km.

Reuben J. Thomas, "Sources of Friendship and Structurally Induces Homophily across the Life Course", *Sociological Perspectives* (11 febbraio 2019).

19. Come inviare un file

Cisco, "Cisco Global Cloud Index: Forecast and Methodology, 2016-2021 White Paper", 19 novembre 2018, https://www.cisco.com/c/en/us/solutions/collateral/service-provider/global-cloud-index-gci/white-paper-c11-738085.html.

Yaniv Erlich e Dina Zielinski, "DNA Fountain Enables a Robust and Efficient Storage Architecture", *Science* 355, n. 6328 (marzo 2017), pp. 950-954.

David L. Gibo e Megan J. Pallett, "Soaring Flight of Monarch Butterflies *Danaus Plexippus* (Lepidoptera: Danaidae), During the Late Summer Migration in Southern Ontario", *Canadian Journal of Zoology* 57, n. 7 (1979), pp. 1393-1401.

"Intel/Micron 64L 3D NAND Analysis", *TechInsights*, consultato il 29 marzo 2019, https://techinsights.com/technology-intelligence/overview/latest-reports/intel-micron-64l-3d-nand-analysis/.

David Mizejewski, "How the Monarch Butterfly Population is Measured", National Wildlife Federation, 7 febbraio 2019, https://blog.nwf.org/2019/02/how-the-monarch-butterfly-population-is-measured/.

Gail Morris, Karen Oberhauser e Lincoln Brower, "Estimating the Number of Overwintering Monarchs in Mexico", Monarch Joint Venture, 6 dicembre 2017, https://monarchjointventure.org/news-events/news/estimating-the-number-of-overwintering-monarchs-in-mexico.

Constantí Stefanescu *et al.*, "Long-Distance Autumn Migration Across the Sahara by Painted Lady Butterflies: Exploiting Resource Pulses in the Tropical Svannah", *Biology Letters* 12, n. 10 (ottobre 2016).

Gerard Talavera e Roger Vila, "Discovery of Mass Migration and Breeding of the Painted Lady Butterfly *Vanessa Cardui* in the Sub-Sahara", *Biological Journal of the Linnean Society* 120, n. 2 (febbraio 2017), pp. 274-285.

Thomas J. Walker e Susan A. Wineriter, "Marking Techniques for Recognizing Individual Insects", *The Florida Entomologist* 64, n. 1 (marzo 1981), pp. 18-29.

20. Come caricare il telefono (quando non trovate una presa)

Mark Z. Jacobson e Cristina L. Archer, "Saturation Wind Power Potential and its Implications for Wind Energy", *Proceedings of the National Academy of Sciences of the United States of America* 109, n. 39 (settembre 2012), pp. 15679-15684.

Max Planck Institute for Biogeochemistry, "Gone with the Wind: Why the Fast Jet Stream Winds Cannot Contribute Much Renewable Energy After All", ScienceDaily, 30 novembre 2011, https://www.sciencedaily.com/releases/2011/11/111130100013.htm.

David Rancourt, Ahmadreza Tabesh e Luc G. Fréchette, "Evaluation of Centimeter-Scale Micro Wind Mills", paper presentato al *7th International Workshop on Micro and Nanotechnology for Power Generation and Energy Conversion App's*, Friburgo, Germania, novembre 2007.

Anna Macquarie Romanov e David Allen, "A Bicycle with Flower-Shaped Wheels", Differential Geometry Final Project, Colorado State University, 2011.

World Energy Resources (London: World Energy Council, 2016).

21. Come farsi un selfie

Hsiang-Kuang Chang, Chih-Yuan Liu e Kuan-Ting Chen, "Search for Serendipitous Trans-Neptunian Object Occultation in X-rays", *Monthly Notices of the Royal Astronomical Society* 429, n. 2 (febbraio 2013), pp. 1626-1632.

F. Colas *et al.*, "Shape and Size of (90) Antiope Derived From an Exceptional Stellar Occultation on July 19, 2011", paper presentato all'*American Geophysical Union, Fall Meeting*, dicembre 2011.

Adam M. Larson e Lester Loschky, "The Contributions of Central versus Peripheral Vision to Scene Gist Recognition", *Journal of Vision* 9, n. 10 (settembre 2009): 6.1-16.

22. Come catturare un drone (usando attrezzature sportive)

"All-Star Skills Competition 2012: Canadian Tire NHL Accuracy Shooting", Canadian Broadcasting Corporation, consultato il 29 marzo 2019, https://www.cbc.ca/sports-content/hockey/nhlallstargame/skills/accuracy-shooting.html.

"Distance from Center of Fairway", PGA Tour, aggiornato di continuo, https://www.pgatour.com/stats/stat.02421.html.

Katsue Kawamura *et al.*, "Baseball Pitching Accuracy: An Examination of Various Parameters When Evaluating Pitch Locations", *Sports Biomechanics* 16, n. 3 (agosto 2017), pp. 399-410.

Christopher Kempf, "Stats Analysis: Running for Cover", Professional Darts Corporation, 1° ottobre 2019, https://www.pdc.tv/news/2019/01/10/stats-analysis-running-cover.

Johannes Landlinger *et al.*, "Differences in Ball Speed and Accuracy of Tennis Groundstrokes Between Elite and High-Performance Players", *European Journal of Sport Science* 12, n. 4 (ottobre 2011), pp. 301-308.

Yannick Michaud-Paquette *et al.*, "Whole-Body Predictors of Wrist and Shot Accuracy in Ice Hockey", *Sports Biomechanics* 10, n. 1 (marzo 2011), pp. 12-21.

Morris, Benjamin, "Kickers Are Forever", *FiveThirtyEight*, 28 gennaio 2015, https://fivethirtyeight.com/features/kickers-are-forever/.

Chris Wells, "Stat Sheet: 10 Facts from Rio 2016 Olympics Entry List", World Archery, 18 luglio 2016, https://worldarchery.org/news/142029/stat-sheet-10-facts-rio-2016-olympics-entry-list.

23. Come capire se sei un bambino degli anni novanta

"Figure 6. Yield of Atmospheric Nuclear Tests Per Year Shown by Bars", grafico tratto da "Is There an Isotopic Signature of the Anthropocene?", *The Anthropocene Review* 1, n. 3 (dicembre 2014), p. 8.

G.S. Goldman e P.G. King, "Review of the United States Universal Vaccination Program: Herpes Zoster Incidence Rates, Cost-Effectiveness, and Vaccine Efficacy Based Primarily on the Antelope Valley Varicella Active Surveillance Project Data", *Vaccine* 31, n. 13 (marzo 2013), pp. 1680-1694.

Brian L. Gulson e Barrie R. Gillings, "Lead Exchange in Teeth and Bone – A Pilot Study Using Stable Lead Isotopes", *Environmental Health Perspectives* 105, n. 8 (agosto 1997), pp. 820-824.

Brian L. Gulson, "Tooth Analyses of Sources and Intensity of Lead Exposure in Children", *Environmental Health Perspectives* 104, n. 3 (marzo 1996), pp. 306-312.

Quan Hua, Mike Barbetti e Andrzej Z. Rakowski, "Atmospheric Radiocarbon for the Period 1950-2010", *Radiocarbon* 55, n. 4 (2013), pp. 2059-2072.

Adriana S. Lopez, John Zhang e Mona Marin, "Epidemiology of Varicella During the 2-Dose Varicella Vaccination Program – United States, 2005-2014", US Department of Health and Human Services *Morbidity and Mortality Weekly Report* 65, n. 34 (settembre 2016), pp. 902–905.

Kathryn R. Mahaffey *et al.*, "National Estimates of Blood Lead Levels: United States, 1976-1980—Association with Selected Demographic and Socioeconomic Factors", *The New England Journal of Medicine* 307 (1982), pp. 573-579.

K. C. Stamoulis *et al.*, "Strontium-90 Concentration Measurements in Human Bones and Teeth in Greece", *The Science of the Total Environment* 229 (1999), pp. 165-182.

24. Come vincere un'elezione

"3 Caseys Stirring Confusion", *Pittsburgh Post-Gazette*, 21 ottobre 1976.

Testo completo delle domande del sondaggio raccolte dal Roper Center for Public Opinion Research:

(Ritieni che in generale vada bene o no usare il cellulare nelle seguenti situazioni?) [...] Al cinema o in altri luoghi dove gli altri di solito stanno in silenzio.

Ritieni che inviare un SMS durante la guida, da un telefono cellulare o altri dispositivi elettronici, debba essere legale o illegale?

(Istintivamente, diresti di avere un'opinione positiva o negativa di ognuna delle seguenti cose.) [...] le piccole imprese?

Ritieni che i datori di lavoro possano essere autorizzati ad aver accesso alla documentazione genetica, cioè al DNA, dei dipendenti senza la loro autorizzazione?

Indice analitico

In corsivo le occorrenze in nota.

Come cambiare una lampadina

Hover time
battery
$t = I_{sp} \times \ln\left(\frac{T_e}{W_e}\right)$
$= \frac{T_e}{\dot{m}} \times \ln\left(\frac{T_e}{W_e}\right)$
$A_1 = 2\pi r_e^2 (1 - \sin\theta)$
$\frac{A_1}{A_e} = \frac{2\pi r_e^2 (1-\sin\theta)}{4\pi r_e^2 / 2}$
$= 1 - \sin\theta$
$lat_{50} =$
$1 - \sin(\theta) = \frac{1}{2}$
$\theta = \sin^{-1}\left(\frac{1}{2}\right)$
$lat_{50} = 30°$
GEO
SSEO
LEO
305'1"
380'4"
1993
$s = \sqrt{\frac{\sum_{i=0}^{N}(n_i - \bar{n})^2}{N - \frac{1}{2}}}$
10^{10} kg/km^2
0.683
0.393
0.199
0.090
0.037
$H = \frac{V_0^2 \times \frac{1}{2}}{g\left(2 + \frac{1}{V_t^2} \times V_0^2 \times \frac{\sqrt{2}}{2}\right)}$
$\left(\frac{1}{2}\right)^{\frac{1}{2}} = \frac{3}{5} + \frac{\pi}{7-\pi}$
4
DNE
1.4142
σ
1d
0.39894
0.68269
2d
0.39347
$P = 1 - e^{-r^2/2}$
$r_2 = \sqrt{-2\ln(1-P}$
90-θ
θ
error
6.67×
166.3 MM/s
HORSE
VECTOR
KW
Fixed
= 0.52h + 2.79